NEW

서울대 선정 인문고전 60선

42

니체 차라투스트라는 이렇게 말했다

NEW 서울대 선정 인문 고전 42

만화 니체 차라투스트라는 이렇게 말했다

개정 1판 1쇄 발행 | 2019. 8. 21
개정 1판 3쇄 발행 | 2025. 1. 11

김면수 글 | 정상혁 그림 | 손영운 기획

발행처 김영사 | 발행인 박강휘
등록번호 제 406-2003-036호 | 등록일자 1979. 5. 17.
주소 경기도 파주시 문발로 197 (우10881)
전화 마케팅부 031-955-3100 | 편집부 031-955-3113~20 | 팩스 031-955-3111

값은 표지에 있습니다.
ISBN 978-89-349-9467-1
ISBN 978-89-349-9425-1 (세트)

좋은 독자가 좋은 책을 만듭니다. 김영사는 독자 여러분의 의견에 항상 귀 기울이고 있습니다.
전자우편 book@gimmyoung.com | 홈페이지 www.gimmyoung.com

이 도서의 국립중앙도서관 출판예정도서목록(CIP)은 서지정보유통지원시스템 홈페이지(http://seoji.nl.go.kr)와
국가자료종합목록시스템(http://www.nl.go.kr/kolisnet)에서 이용하실 수 있습니다. (CIP제어번호 : CIP2018042964)

|어린이제품 안전특별법에 의한 표시사항| **제품명** 도서 **제조년월일** 2025년 1월 11일
제조사명 김영사 **주소** 10881 경기도 파주시 문발로 197 **전화번호** 031-955-3100 **제조국명** 대한민국
사용 연령 10세 이상 ⚠**주의** 책 모서리에 찍히거나 책장에 베이지 않게 조심하세요.

미래의 글로벌 리더들이 꼭 읽어야 할 인문고전을 만화로 만나다

주니어김영사

| 기획에 부쳐 |

〈NEW 서울대 선정 인문고전60〉이 국민 만화책이 되기를 바라며

제가 대여섯 살 때 동네 골목 어귀에 어린이들에게 만화책을 빌려주는 좌판 만화 대여소가 있었습니다. 땅바닥에 두터운 검정 비닐을 깔고 그 위에 아이들이 좋아하는 만화책을 늘어놓았는데, 1원을 내면 낡은 만화책 한 권을 빌릴 수 있었지요. 저는 그곳에서 만화책을 보면서 한글을 깨쳤고 책과의 인연을 맺었습니다.

초등학교 때는 용돈을 아껴서 책을 사서 읽었고, 중학교 때는 학교 도서 반장을 맡아 도서관에서 매일 밤 10시까지 있으면서 참 많은 책을 읽었습니다. 그 무렵 헤밍웨이의《노인과 바다》를 손에 땀을 쥐며 읽으면서 인생에 대해 고민했고, 헤르만 헤세의《수레바퀴 아래서》를 읽으며 사춘기의 심란한 마음을 달랬습니다. 김래성의《청춘 극장》을 밤새워 읽는 바람에 다음 날 치르는 중간고사를 망치기도 했습니다.

당시 저의 꿈은 아주 큰 도서관을 운영하는 사람이 되어 온종일 책을 보면서 책을 쓰는 작가가 되는 것이었습니다. 나이가 들고 어느 정도 바라는 꿈을 이루었습니다. 큰 도서관은 아니지만 적당한 크기의 서점을 운영하고, 글을 쓰는 작가가 되었거든요. 저는 여기에 새로운 꿈을 하나 더 보탰습니다. 그것은 즐거운 마음과 힘찬 꿈을 가지게 해 주고, 나아가 자기 성찰을 도와주는 좋은 만화책을 만드는 일이었습니다. 이렇게 해서 만든 책이 바로 〈서울대 선정 인문고전〉입니다. 서울대학교 교수님들이 신입생과 청소년들이 꼭 읽어야 할 책으로 추천한 도서들 중에서 따로 60권을 골라 만화로 만든 것입니다. 인류 지성사의 금자탑이라고 할 수 있는 고전을 보기 편하고 이해하기 쉽도록 만화책으로 만드는 일은 쉬운 일은 아니었습니다. 약 4년 동안에 수십 명의 학교 선생님들과 전공 학자들이 원서의 내용을 정확하게 전달할 수 있도록 밑글을 쓰고, 수십 명의 만화가들이 고민에 고민을 거듭하면서 만화를 그려 60권의 책을 만들었습니다.

〈서울대 선정 인문고전〉이 완간되었을 무렵에 우리나라에 인문학 읽기 열풍이 불기 시작했습니다. 〈서울대 선정 인문고전〉은 인문학 열풍을 널리 퍼뜨리는 데 한몫을 하면서 독자들의 뜨거운 사랑과 관심을 받았습니다. 덕분에 지금까지 수백만 권이 팔리는 베스트셀러가 되었습니다. 그 사랑에 조금이나마 보답을 하기 위해 《칸트의 실천이성 비판》, 《미셸 푸코의 지식의 고고학》, 《이이의 성학집요》 등 우리가 꼭 읽어야 할 동서양의 고전 10권을 추가하여 만화로 만들었습니다.

〈서울대 선정 인문고전〉은 어린이와 청소년이 부모님과 함께 봐도 좋을 만화책입니다. 국민 배우, 국민 가수가 있듯이 〈서울대 선정 인문고전〉이 '국민 만화책'이 되길 큰마음으로 바랍니다.

손영운

니체를 읽고 자신을 사랑하며 삶의 주인으로 당당하게 살아가길

고등학생 시절 저는 니체와 처음 만났습니다. 그 시절은 집집마다 문학사상전집이 장식용으로 자리를 차지하던 때였습니다. 저희 집에도 사상전집 한 세트가 먼지를 머금은 채 잠자고 있었습니다. 그러던 어느 날 호기심에 해묵은 먼지를 털어 내며 니체의 《비극의 탄생》을 집어 들었습니다. 오래전 책이라 세로쓰기로 되어 있어 읽기가 여간 힘들지 않았습니다. 그런데 전 어느덧 그 책에 빠져들고 말았습니다. 한 줄 한 줄이 흥분되고 새로운 세계를 만나는 것 같았습니다.

《비극의 탄생》에서 니체는 서로 대립하는 아폴론적인 것과 디오니소스적인 것의 화해로 그리스 비극이 탄생하였으나 아폴론적인 것이 디오니소스적인 것을 압도하면서 비극은 죽고 말았다고 말합니다. 그러나 니체의 시대에 바그너가 다시 비극을 부활시켰다고 하면서 이야기를 끝맺습니다. 그 당시 고등학생이었던 제가 니체의 글을 온전히 이해했다면 거짓말이겠지요. 그러나 제가 니체에게 배운 것은 많았습니다. 무엇보다도 니체는 저에게 인문학적으로 사고하는 재미를 알려 주었습니다. 인간의 상상력과 깊은 사유, 그리고 그들이 수놓은 역사를 읽는 것은 참으로 재미있고 설레는 일임을 알게 되었습니다.

대학에서 문학과 철학을 공부하면서 저는 니체를 다시 만나게 되었습니다. 그때 저는 그리스 작가인 니코스 카잔차키스의 작품에 빠져 있었습니다. 니코스 카잔차키스

는 니체의 영향을 많이 받은 작가입니다. 그의 대표작이라 할 수 있는 《그리스인 조르바》와 《오디세이아》에서 니체가 말하고자 했던 디오니소스적 건강함과 삶에 대한 긍정을 잘 이해할 수 있었습니다. 그의 작품에서 니체의 목소리를 함께 들을 수 있었습니다. 물론 저에게 니체는 여전히 풀리지 않는 어려운 의문입니다. 그 이유는 아직 저의 삶이 담긴 솥단지가 충분히 가열되지 않았기 때문일 것입니다. 삶에 대한 사랑, 그리고 나 자신에 대한 운명애(아모르 파티!)가 충분하지 못해서일 것입니다.

《차라투스트라는 이렇게 말했다》는 니체가 스스로 인정한 최고의 작품입니다. 이 책에는 니체의 원숙한 사유가 고독한 태양처럼 스스로 빛나고 있습니다. 사실 니체가 말하고자 한 것은 간단합니다. 삶을 사랑하고 자기 안의 부정적인 것들을 끊임없이 극복해 나가며 살아가란 것이지요. 그렇게 삶의 주인으로서 나를 사랑할 때 우리는 건강하게 살 수 있다고 니체는 가르칩니다. 이 책을 펼치면서 여러분 역시 니체가 써 준 진단서와 처방전을 받아 들게 될 것입니다. 거기에 적힌 내용들은 여러분 존재의 뿌리부터 흔들어 댈지 모릅니다. 니체의 진단은 가혹하고 처방은 모든 것을 바꾸길 요구하니까요. 하지만 당당히 그 요구에 응하길 바랍니다. 그리고 기쁘게 활짝 웃는 위버멘쉬가 되길 응원하겠습니다.

끝으로 저에게 이처럼 재미있는 작업의 기회를 주신 손영운 선생님, 저의 미숙한 원고들을 잘 다듬어 주신 주니어김영사의 편집부 직원들, 그리고 그동안 저의 불평과 불만을 잘 견뎌 낸 아내 유희에게 감사의 마음을 전하고 싶습니다.

김면수

위버멘쉬로의 한 발을 내딛어 보세요!

여러분들은 철학을 어떻게 생각하나요? 철학이라면 왠지 어렵고 머리만 아플 것 같지 않나요? 저 또한 적잖이 당황했답니다. 철학이라는 분야조차도 생소했고 더군다나 '신은 죽었다' 라고 다소 황당한 말을 한 니체의 철학책이라니 말이죠. 과연 내가 이 어려운 책을 이해하기 쉽게 그림으로 표현해 낼 수 있을까? 그게 가능할까? 불가능하니 애초에 포기하고 편한 그림이나 그리며 만족할까? 라는 생각도 잠시 했었답니다.

그러나 다행히 니체의 일생과 그의 책을 보다 쉽게 이해할 수 있도록 글을 써 주신 김면수 선생님 덕분에 한 발짝 다가설 수 있었습니다. 니체 또한 우리들에게 딱딱한 철학적 지식을 그냥 전달하려 하지는 않았답니다. 《차라투스트라는 이렇게 말했다》라는 제목에서도 알 수 있듯이 '차라투스트라' 라는 주인공을 등장시켜 그가 떠나는 여행의 여정을 통해서 다양한 깨달음을 얻게 하였으니까요.

니체의 생각을 단번에 이해할 수는 없었지만 그가 말하는 신의 죽음에 대해서는 알 수 있게 되었죠. 처음에 책을 접하고 힘들 것 같다는 생각에 지레 겁을 먹고 포기하려던 저처럼 편한 것만을 찾고 안주하려는 나약한 인간에 의한 것이었답니다. 겁이 많고 도전을 두려워하는 나약한 인간들은 신을 만들어 신에 기대고, 그 후에는 추악하게도 자신들이 만들어 낸 신을 죽여 버렸다고 합니다.

이 책을 읽는 독자 중에 독실한 기독교 신자가 있다면 읽기도 전에 말도 안 되는 책이라고 화를 낼 수도 있을 거예요. 만약 그런 사람이 있다면 무턱대고 화를 내기 이전에 니체에 대해 좀 더 알아보길 바랍니다. 니체는 할아버지와 아버지 두 분 모두 목사였고, 어머니를 비롯한 집안 전체가 기독교인이었어요. 그렇게 독실한 기독교인이 신의 죽음을 설명할 때에는 그만한 이유가 있을 거예요.

수많은 오해와 박해 그리고 아픈 몸과 싸우며 누구보다도 건강한 생각과 상쾌한 느낌을 주는 책을 써낸 니체는 우리들에게 이렇게 말한답니다. 끊임없이 새로워지라고. 어떠한 상황에서도 뒷걸음치며 도망치지 말고 자신을 내던져 이겨 내라고 말이에요.

이 책을 완성하기까지 니체의 가르침은 도망치려던 저의 나약한 마음을 바로잡아 주었답니다. 니체가 말하는 위버멘쉬로의 한 발을 내딛은 셈이죠. 아무쪼록 이 책을 보는 모든 독자들이 저와 함께 위버멘쉬로의 여정에 동참할 수 있기를 희망합니다.

정상혁

| 차례 |

새로운 의미

제1장 《차라투스트라는 이렇게 말했다》는 어떤 책일까?

*차라투스트라 – 국립국어원이 정한 외래어 표기법에 따르면 '자라투스트라'가 옳지만, 아직 널리 쓰이고 있지 않아 이 책에서는 차라투스트라로 적음.

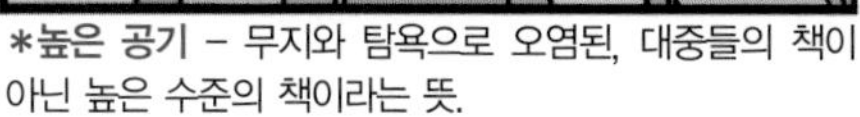
*높은 공기 – 무지와 탐욕으로 오염된, 대중들의 책이 아닌 높은 수준의 책이라는 뜻.

먼저 질문을 던져 볼게.
차라투스트라가 누구인지 아는 사람?
차라투스트라

눈치 빠른 학생이라면 이렇게 말하겠지?
이 책의 주인공 아냐?
설마?

그래, 맞아. 이 책에는 차라투스트라라는 한 남자가 나와.

이 남자는 니체가 이 책을 쓰기 1000년 전에 실제로 존재했던 사람이야.
여기가 어디지?
펑

혹시 조로아스터란 인물에 대해 들어 봤니?
조로아스터교 창시자 아네요?

그래 맞아!
아~ 우린 천재인가 봐!
빙고!

조로아스터는 '차라투스트라'를 영어식으로 발음한 거야.
즉 차라투스트라는 조로아스터지.
누구냐 넌
넌 누군데
=
조로아스터
차라투스트라

니체는 고대 페르시아의 인물인 조로아스터의 이름을 따서 이 책을 쓴 거야.
허락도 없이 내 이름을 쓰다니.
성가신 양반이네.

니체는 고대 문화에 해박한 지식을 가진 문헌학자였으니까 말이야.
이건 처음 보는 건데.

조로아스터교는 불을 숭배한다고 해서 우리나라에서는 '배화교'라고 부르기도 한단다.
앗 뜨거!

조로아스터는 선과 악의 대립과 투쟁이 역사를 만든다고 생각했어.
악
선

이런 생각은 이후 서양 사상에도 커다란 영향을 미치지.
신의 이름으로 명하노니 악마는 물러가라!

서양의 중세 · 근대 문명의 바탕엔 이분법적인 사고가 깔려 있단다.
중세
근대
이분법적 사고

세상을 대립하는 두 개의 축으로 보는 것을 이분법적 사고라고 해.

2001년 9 · 11 테러 이후 미국을 비롯한 서방 세계에서 몇몇 나라들을

'악의 축'이라고 규정했던 것에서도 이런 이분법적 사고를 엿볼 수 있지.
쾅
악의 축

선과 악의 대립과 투쟁이 역사를 만든다는 조로아스터의 사상은
내가 천사할 거야!
내가 할 거야!

기독교와 더불어 서양의 이분법적 세계관에 많은 영향을 주었어.

그렇다면……
니체는 책에서 조로아스터의 사상을 전하고 있는 것일까?
과자

답은 '절대로 아니올시다'야.
삐이~!

니체가 쓴 차라투스트라는 오히려 정반대의 이야기를 하고 있어.
훌륭한 사상입니다.
아~ 헷갈려
믿지 마세요.

니체의 차라투스트라는 선과 악이란 이분법적 세계관을 아주 강하게 부정하고 있어.
이제는 둘 다 사이좋게 지내라.
지금 장난하나?

그렇다면 니체는 왜 차라투스트라를 자신의 책에 등장시켰을까?
책에 꼭 출연해 주세요.
출연료만 확실히 챙겨 준다면야…

니체는 차라투스트라야말로
세상을 선과 악이 투쟁하는
하나의 장이라고 본
최초의 인물이고,
선
악

선과 악이 대립하는 도덕 법칙을
최초로 만들어 낸 사람이기 때문에,
선
세계
악

이와 같은 생각이 오류임을 최초로
인식할 수 있을 거라고 여겼어.
쩌저적
선
악
?

왜냐하면 그 문제에 관해서 가장
많은 경험과 고민을 한 사람은
뭔가…
오류가 있어.

다름 아닌 그 문제를 최초로
다룬 사람일 것이기 때문이야.
좀 더 수련을
해야겠다.

더 중요한 것은
《차라투스트라는 이렇게 말했다》에서
니체가 제시하는 인간상이 바로
차라투스트라는
이렇게 말했다

자기 자신을 극복하는
존재란 점이야.
나를 이기자
머리가 좋지는
않지만 열심히
공부할 거야.

인간은 끊임없이 자기 자신을
극복해야 한다는 것이 니체의
주장이거든.
열심히 운동해서
몸짱이 돼야지.
백만스물
둘!

따라서 니체가 이분법적 사고를
바탕으로 한 도덕 법칙을 극복해야
한다고 여겼다면
네가 좀
도와줘야겠어.
우린
찬밥 신세.
쳇!

이를 가장 먼저 극복해야 할
사람은 다름 아닌 차라투스트라인
것이지.
수련을
통해서
극복하자.

니체가 왜 책 제목을
《차라투스트라는 이렇게
말했다》로 지었는지
알겠지?

그리고 이 책에서 다룬 내용도 조금은
눈치챘을 거야.
자세한
내용은 뒤에서
더 살펴보자고.
네~~ 에!
과자

그럼 이 책이 쓰였던 역사적 배경을 살펴볼까?

니체는 이 책을 1883년부터 1885년에 걸쳐 썼어.
1885년 1월
벌써 3년째 쓰고 있군.

책은 총 4부로 되어 있는데 각각 따로 출판되었단다.
먼저 가.
편지할게.

니체가 책의 내용을 구상한 것은 1881년 여름이야.
그거야!
탁
파닥 파닥

당시에 니체는 요양 중이던 실스마리아의 실바플라나 호숫가를 거닐고 있었어.
산책하니 살 것 같다.
룰루

산책 도중 거대한 바위 옆에서 발을 멈추었는데, 그때 니체에게 어떤 생각이 떠올랐지.
두둥
엄청난 바위다.

니체는 이를 영원 회귀 사상이라고 이름 지었어.
영원 회귀라?
잊기 전에 적어 두자.

영원 회귀 사상은 《차라투스트라는 이렇게 말했다》의 핵심이야.
나의 핵심이지.
차라투스트라
영원 회귀

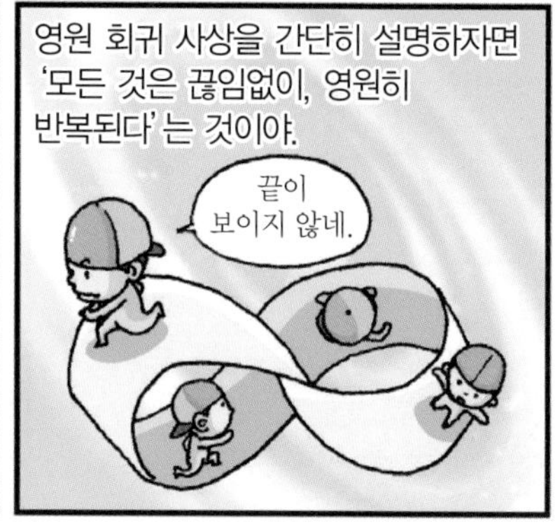
영원 회귀 사상을 간단히 설명하자면 '모든 것은 끊임없이, 영원히 반복된다'는 것이야.
끝이 보이지 않네.

우리의 삶도 시작과 끝이 있는 것이 아니라 과거에 경험했던 삶이 현재에도 반복되고 있으며
우리 전에 만난 적 있죠?
그런 낡은 수법을!

미래에도 여전히 반복될 것이란 이야기야.
우리 전에 만난 적 있죠?
낡은 수법!

이런 괴상한 생각을 담은 책이 정말 인류가 받은 최고의 선물일까 의심되지?
과거
미래

너무 성급하게 판단하지는 마. 니체가 왜 그런 생각을 했는지는 뒤에서 자세히 살펴보자고.

《차라투스트라는 이렇게 말했다》의 1부를 쓰기 시작한 1883년까지 니체는 심적으로 매우 힘든 상황이었어.

니체는 당시 루 살로메라는 매력적인 여성을 사랑했지만, 친구인 파울 레 역시 루를 좋아했고,

루를 싫어했던 여동생의 계략으로 헤어질 수밖에 없었거든.

니체는 루와 헤어진 1882년 겨울을 완벽한 고독 속에서 지냈어.

게다가 몸도 좋지 않고 우울증과 불면증에 시달려 스스로 최악의 겨울이라고 불렀지.

하지만 1883년 1월과 2월 사이, 1881년 영원 회귀를 사유했던 것처럼 다시 황홀한 체험을 하게 돼.

그리고 청명한 나날들 속에서

1부를 열흘 만에 완성한단다.

같은 해 여름에 2부를 마무리하고,

다음 해인 1884년 초에 3부를 완성하고,

1885년엔 마지막 4부까지 마쳤어.

책의 각 부를 쓰는 데
열흘 정도밖에 걸리지 않았지만,
빨리 썼지만
내용은 알차.
1부
2부
3부
4부
열흘 속성

처음 이 책에 대해서 구상했던 것이
1881년이었으니까
영원 회귀.

4~5년 동안을 여기에
집중하고 있었던 거야.
집—중
차라투스트라

니체는 이때 차라투스트라에만 빠져
있었어.
투투툭
꽝
꽝

사랑과 우정을 모두 잃고,
가지 마!

건강도 최악이었지만
고통스럽지만 글 쓰는 걸 멈추지 말자.
콜록

니체는 자신의 저서 중 가장 빼어나고
아름다운 책을 썼던 거야.
쳇!
차라투스트라
혼자만 주목받네.

게다가 놀랍게도 책의 주제는
결코 삶의 괴로움에 관한 것이
아니야.
차라투스트라는 이렇게 말했다
그렇다면 한번 읽어 볼까!

고통스러운 시간을 보낸 사람은 사실
그 고통에 대해서 쓰기 마련이거든.
고통이 밀려온다!

그런데 니체는 오히려
고통을 극복하고 새로 태어나는
차라투스트라에 대한 책을 썼어.
차라투스트라는 이렇게 말했다
고통의 조각

모든 고통과 환멸 그리고 허무주의와 같은
부정적인 것을 극복하고
아뵤오—
고통
환멸
허무주의

삶을 절대적으로
긍정하는 것.
시험 빵점
절대로 실망하지 말자.

*잠언 – 가르쳐서 훈계하는 말.

니체는 위대한 메시지를 이성적인 언어만 가지고 전달하기엔 부족하다고 생각했어.
뭔가 부족한데.
위대한 메시지

위대한 메시지와 사유에는 이성적인 측면과 함께 감정이 녹아들어 있어야 한다는 것이지.
이봐! 지금 제정신이야!
이성
감정
위대한 메시지와 사유

그래서 니체는 차라투스트라를 하나의 음악으로 간주해야 한다고 말했어.
음악 서적
차라 투스 트라
뭘 끼워 넣는 거요?

니체는 차라투스트라뿐만 아니라 다른 많은 책들도 시적인 잠언 형식으로 썼어.
음악 서적
즐거운 학문
반그리스도
서광
차라투스트라
이 사람을 보라
도덕의 계보
우상의 황혼
몇 권을 넣은 거야?

물론 이런 형식의 글을 쓴 데에는 니체의 몸 상태도 한몫을 했단다.
헉
내 몸이 왜?

니체는 평생 수많은 병을 달고 살았던 사람이야.
당장 내려 줘! 글을 써야 돼.

장시간 책상에 앉아 글을 쓴다는 것은 불가능한 일이었지.
꺄악—.
픽

그래서 산책을 하며 그때그때 떠오른 생각들을 공책에 재빨리 적어 놓곤 했어.
이봐! 암벽 등반 말고 산책 장면!

그러한 짧은 글들을 나중에 다시 편집하는 방식으로 글을 썼어.
허~ 억!
뭐가 먼저였지?

니체의 이러한 문체는 읽는 사람들에게 많은 어려움을 준단다.
끙
학자인 나도 어렵잖아!

어려운 개념이나 복잡한 논증이 없기 때문에 술술 읽힐 것 같지만
차라 투스 트라
술술 읽히는 책이오!
거짓말!

막상 읽어 보면 무슨 말을 하는 건지 도통 감이 잡히지 않거든.
빵상.
깨랑 까랑.

또한 이 책엔 수많은 비유와 상징들이 들어 있어.
차라투스트라는
차라투스트라는 이렇게 말했다
니체

어린아이, 숲 속의 성자, 줄 타는 광대, 왕, 예언가, 마술사와 같은 인간 유형과

낙타, 웃는 사자, 독수리, 뱀, 타란툴라, 거머리, 불개, 비둘기 등의 동물,
안녕.

그리고 달, 태양, 높은 산, 무지개, 사막, 오아시스와 같은 공간과
멋지군.

해 뜨기 전, 오전, 정오, 오후, 밤이라는 시간들까지…….
해뜨기 전
오전
정오
오후
밤
새로 나온 시계인가?

비유와 상징 같은 것들은 말하고자 하는 바를 빙 돌려서 표현하므로 이해하기 어렵지.
있잖아… 어제… 내가…
그랬어.
빙빙 돌려 말하지 마!

그뿐만 아니라 니체는 예수의 삶 역시 패러디했단다.
누구냐 넌?

차라투스트라가 고향을 떠나 명상의 길을 가는 것은 예수가 고향을 떠나 구도자의 길을 가는 것과 같고
왜 자꾸 따라와!
길이 같을 뿐!
휙

차라투스트라가 산으로 올라가 10년을 고독 속에 지낸 것은 예수가 광야에서 40일을 지낸 일을 패러디한 거야.
설마? 여기까지…!

또 최후의 만찬이나 감람산 같은 것들도 패러디했어. 심지어 "귀 있는 자들은 들을지어다." 같은 차라투스트라의 말도 성경에 나오는 구절이야.
귀 있는 자여, 들을지어다.
성경을 인용한 줄 모르겠지?

이렇게 보면 이 책은 그냥
철학 책이라기보다는
차라투스트라는
이렇게 말했다
-니체

하나의 뛰어난 문학 작품이라는
것을 알 수 있겠지?
창문을
열어 다오~
예술적인
소질도 있네.

이 책이 괴테와 셰익스피어의 작품을
넘어섰다는 니체의 주장은 그저 허풍만은
아니야.
부럽군.
인정할
수 없어.
2
1
3

이 책의 구성은 앞에서 말한 것처럼
총 4부로 되어 있어.
탁
탁
탁
①
②
③
④

그리고 각각은 또한 20개 안팎의
독립된 이야기들로 나뉘어 있지.
챙
챙
챙

전체적으로 보면 방랑자인
차라투스트라가 겪는
모험담이라고
볼 수 있어.

차라투스트라의 모험은 오디세우스 등의
신화 속 모험과는 달라.

차라투스트라도 산에서 마을로
내려오고 다시 산으로 올라가는
등의 여행을 하지만
갔다
올게~.
다녀와.

중요한 것은 차라투스트라의
내면에서 일어나는 정신적인
변화야.
뭐지,
이 기분은?

각각의 작은 이야기들은 서로
긴밀하게 연결되어 있지는 않아.
우린 친구!
근데
네 이름이
뭐였더라?
안 친한
사이군.

대부분 잠언 형식의
차라투스트라의 주장들이
주를 이루고 있어.

가끔 다른 인물이 나와서 차라투스트라와
이야기를 나누지만
잠시
얘기를
나눠도…
네~
앉아요.

역시 논증을 주고받는 것이 아니라
논리

비유와 상징이 섞인 대화를 나눈단다.

그래서 이 책을 읽으면
읽기가 두렵다.
차라투스트라는 이렇게 말했다
100 만화

마치 난해한 한 편의 현대 예술 작품을 감상하는 것 같아.
포기다!
털썩!
인 생

1부는 총 스물 두 부분의 설교로 구성되어 있어.
이봐, 거기. 이것 좀 22등분 해 주게.

핵심적인 주제는 신의 죽음과 '위버멘쉬'에 관한 것이야.
신은 죽었다.
죽지 않아~

니체가 '신은 죽었다'라고 말한 것은 아주 유명해.
역시 신은 죽었다.
큭! 두 번 죽이네.

때문에 니체는 기독교로부터 많은 미움을 받아 왔어.
현상 수배
₩100
전국 기독교 협회
내 몸값이 이것밖에 안 되다니!

하지만 니체가 말한 신의 죽음은 그리 간단한 문제는 아니란다.
닭이 먼저일까, 알이 먼저일까?
?
어렵네.

혹시 여러분들 중에 기독교 신자가 있다면 반감부터 가지진 말았으면 해.
나쁜 아저씨!
오해하지 마.

물론 니체는 기독교에 대해서 많은 비판을 했어.
기독교 비판
어허!

하지만 어떤 대상을 비판한다는 것은 그 대상에 대해 많은 관심과 고민을 가진다는 의미가 아니겠니?
넌 정말 쪼잔하고 이기적이야.
나에 대한 관심이 크구나.

무턱대고 자신의 종교를 긍정하는 것은

종교에 대한 사랑이 부족한 탓 아닐까?
그만 헤어져. 당신은 너무 긍정적이야.
가지 마.

한 가지 확실한 건 니체가 기독교를 악감정만으로 비판하지는 않았다는 거야.
단순히 비판한 게 아니라고!

그렇기 때문에 그가 말한 신의 죽음도 그가 살았던 시대적 상황과
주인님께 순종하며 살게요.

그의 철학적 고민에 대해서 살펴본 뒤에야 그 의미를 알 수 있어.
철학적 고뇌가 밀려온다.

위버멘쉬(Übermensch)는 독일어야.
위버멘쉬
(Übermensch)
독일어

위버멘쉬 개념은 니체의 사상들 중에서 가장 오해를 많이 받은 대목이기도 하단다.

위버멘쉬가 그동안 '초인'으로 번역되어 왔던 탓이기도 해.
위버멘쉬 =초인?

위버(Über)는 '넘어선다'는 뜻이고,
여기만 넘어가면 원하는 걸 가질 수 있어.
보물

멘쉬(mensch)는 '인간'을 뜻해.
우리도 멘쉬!

즉 위버멘쉬는 '인간을 넘어선 새로운 인간'을 뜻하지.
끊임없는 수련으로
새로운 인간이 되자.

하지만 넘어선다는 뜻을 초능력을 지닌 슈퍼맨과 같은 것으로 이해하면 안 돼.
슝~

넘어선다는 것은 자기 안에 있는
허약하고 병적인 요소,
일어나. 학교 가야지.
조금만 더 자고 싶은데….

삶을 부정하는 허무주의적인 정서, 현재의 상태에 만족하려는
자기기만적인 모습 등을 끊임없이 극복해 나가는
삶의 태도를 의미해.
힘내!
폴짝
허무주의
자기기만
극복해서 응원에 보답하자!

2부에서 차라투스트라는
'힘에의 의지'를 설파한단다.
힘에의 의지
펑

힘에의 의지란 주인이 되고자 하는,
더욱 강해지고자 하는 의지를
의미해.
불끈
불끈

니체는 힘에의 의지를, 존재의 가장
본질적인 요소라고 생각해.
우리는 모두
공통된 본질을 갖고 있어.

이러한 힘에의 의지는 위버멘쉬와
기독교 비판, 영원 회귀 사상을
뒷받침하는

가장 기본적인 원리란 점에서
매우 중요한 사상이란다.
엄청나게 중요한 물건인가 보군.

3부에서 차라투스트라는
영원 회귀 사상을 중점으로
3부 에선
네가 주인공!
영원 회귀
쿵!

신의 죽음과 그 이후에 도래해야 할
새로운 인간인 위버멘쉬,
신 잠들다

그리고 디오니소스적 긍정을
종합적으로 이야기하고 있어.
장하다!
디오니소스적 긍정상

3부는 이 책의 완결 편과 같은
역할을 하지.
이봐, 아직 내가 있어.
3부
4부
니체

앞서 차라투스트라가 설파한
개념들은 사실 긴밀하게
연결되어 있어.

그중 어느 것이 빠지면 다른 것들도
모두 무너져 버리지.
이크~

니체는 체계를 부정한 철학자로
유명하단다.
체계가 있으니
답답하구나.
체계

그래서 다른 철학자들로부터 많은
비판을 받은 것도
사실이야.
비판
비판
비판
비판

하지만 사실 니체의 철학에 체계가
전혀 없는 것은 아니란다.
철학
5
4
3
2
내
철학에도
체계가
있어.

오히려 그의 사상들은 아주 긴밀하게
연결되어 있어.
위버
멘쉬
힘에의
의지
영원
회귀
신의
죽음
디오니
소스적
긍정
사상

그것들이 어떻게 연결되는지는
앞으로 하나하나 알게 될 거야.
뽁!
살살
다뤄!

4부는 앞의 세 장과는 조금 다른
형식을 취하고 있어.
들리나~ 오바.
다 쓴 종이컵을
이런 형식으로
쓸 수도 있어.
잘 들린다~
오바.

사실 《차라투스트라는 이렇게 말했다》의
주요 사상들은 3부까지 모두 다 언급돼.
디저트로
4부가
남았어요.
4
3
2
1

4부는 차라투스트라가 왕, 학자, 교황, 거지 등과 토론하는 내용으로
이루어져 있어.
...
...
...
밥 줘~

예수와 그 제자들의 최후의 만찬을
패러디하는 부분도 4부에 등장하지.
시치미
언제까지
날 따라할
셈이냐!

자, 지금까지 책에 대해서 대략적으로 알아보았어. 그런데 벌써 한숨을 짓는 소리가 들리는구나?
배고파.
어려워.
거북해.

걱정하지 마. 이 책은 생각보다는 그리 어렵지 않아.
다행이다~

……라고 사탕발림하진 않겠어. 분명히 어려워. 니체 역시 이 책을 이해할 독자가 거의 없을 거라고 했어.

니체는 자신이 사는 시대엔 자신의 노래를 들어 줄 귀가 없으리라 예감했지.

그는 언제나 미래의 독자들, 즉 100년 후의 독자들을 염두에 두고 책을 썼단다.
미래의 독자들은 어떤 모습일까?

그만큼 그가 이 책에서 주장한 것들이 당시엔 굉장히 급진적이고 충격적인 내용들이었지.
차라투스트라는 이렇게 말했다

게다가 니체가 사용했던 문체도 굉장히 낯선 것이었어.
낯선 비행 물체다.

하지만 니체가 죽은 지 100년이 조금 넘은 현대에 와서 그의 사상은 철학계는 물론 여러 분야에서 매우 중요한 의미를 지닌단다.
니체

지금 우리가 살고 있는 시대는 매우 혼란스러워.

전에는 확고한 기준이 있어서 사람들의 삶을 지탱해 주었지.
단단히 지탱하고 있구나.
기준
체계

신이나 도덕 법칙, 인간의 이성과 같은 것들이 바로 그러한 기준들이었어.

사람이라면 당연히 따라야 할,
확실하고 절대적인 기준들이었지.
나를 따르라~!
넵!
쾅

하지만 현대인들은 그런 기준들이
더 이상 확실하지 않다는 것을 알아.
맛있는 거 사 줄게.
의심하지 말고
따라와~.
됐거든요.

왜냐하면 우리가
살아온 현대사가
그렇지 못했거든.
현대사
인종 학살
전쟁

20세기에 들어 세계는 커다란 전쟁을
두 번이나 치렀고, 나치의 인종 학살을
겪으면서
1,2차 세계 대전

인간의 이성 뒤에 숨어 있는
엄청난 광기를 보았어.
탕

또한 프로이트 등 정신 분석
학자들의 연구 결과, 인간의
이성은 아주 작은 부분에
불과하고
요 정도가
인간의 이성

무의식이라는 거대한 영역이 존재한다는
것도 알게 되었지.
아래는 온통
무의식이야.

게다가 야만적이라고 생각했던 일부
민족의 풍습이 그들의
입장에선
야만인들!
우가
우가

소중한 문화 양식이자
도덕 법칙이라는 사실도
우리를 혼란스럽게 해.
사람살려
문화가
사람
잡네!

이렇듯 현대인들은 과거에 확실했던
가치나 기준들을 잃어버린 채
가치
기준
쩌저저적

모든 것이 불확실한 혼돈의 시대를
살고 있어.
그냥 가자.
사람을 믿을 수
없어~.
부우웅

니체는 이러한 모든
징후를 이미 예견했어.

결국 차라투스트라의 입을 빌린 니체가 우리에게 말하고 싶었던 것은
서프라이즈~
꺄악~

더 이상 그런 옛 기준과 법칙들에 얽매이지 말고
틀을 깨자.
깡
기준과 법칙

각자 자신의 기준과 법칙을 찾아 삶의 주인으로서 살아가라는 것이야.
내 삶의 기준이야.
좌우명
신 나게 놀자~
이런 얘기가 아니잖아!

삶의 주인이 되어 자신의 삶을 긍정하고 건강하게 살기.
나도 몸짱이 될 수 있어!
과자
과자 봉지나 놓고 뛰어라!

그것이 《차라투스트라는 이렇게 말했다》에서 제시한 삶의 자세이고
차라투스트라는 이렇게 말했다

오늘날 우리에게 필요한 지혜라고 볼 수 있어.
지혜야, 네가 필요해. 나랑 사귀자.
콕!
싫어! 오지 마!

나는 결단코 헛소리 같은 건 하지 않았다고.

지금 세계를 움직이는 위대한 사람들을 살펴봐.
변화하려는 마음가짐을 가지세요. 변화 속에 기회가 숨어 있답니다.
마이크로소프트
빌 게이츠

그들이 우리에게 강조하는 것은 창의력과 개성,
개성이 넘치는 사람이다.

새로운 시각, 끊임없는 변화 같은 것들이야.
휴대 전화도 새롭게, 끊임없이 변하고 있구나.

이것은 니체가 우리에게 말하려는 바와 크게 다르지 않아.
그게 바로 내가 하려던 말이라네.

어떻게 보면 니체는 시대를 너무 앞서 간 사람이지.
너무 멀리 왔나?

이제 《차라투스트라는 이렇게 말했다》라는 책을 읽고 싶은 욕심이 생기니?
차라투스트라는 이렇게 말했다
짜잔~

선생님은 여러분들 모두에게 이 책을 읽으라고 권하고 싶진 않아.

이 책은 소수의 사람들만을 위한 책이니까.

어떤 소수의 사람들이지요?

현재 자신의 삶에 안주하지 않고 끊임없이 자신을 극복하려는 사람.
1등을 했지만
헉헉
기록 단축을 위해 계속 연습한다.

편한 것을 싫어하고 계속 앞으로 나아가기 원하는 사람.
쉬고 싶지만 목표를 위해 힘을 내야지.

자신에게 익숙한 가치를 버리고 새로운 가치를 실현할 용기가 있는 사람.
전직 의사 출신 정해진 선수 승!

바로 이런 사람들이야.
" 차라투스트라는 이렇게 말했다 "
- 전세계 동호회 -

만약 자신이 그런 소수의 사람에 속한다고 생각하면 이 책을 읽을 자격이 있어.
알았으니 빨리 와!
우리도요!

그럼 본격적으로 차라투스트라와 만나기 전에 이 책의 저자인 니체를 먼저 만나 보자.
모두 꽉 잡아!
푸쉬이이이야

출발!
야호~
쿠우우웅

제2장
니체는 어떤 사람일까?

철학자 니체!
니체

아마 다양한 방면에 관심이 많고 서점에 자주 가는 사람이라면 니체의 이름을 들어 보았을 거야.
철학
철학
니체

이름은 잘 몰라도 콧수염을 멋있게 기른 니체의 얼굴을 한 번쯤은 본 적이 있을 테지.
뭣이!
나처럼.

처음이라고? 이런, 니체가 굉장히 자존심이 상하겠는걸?
반갑다 친구야.
처음 뵙겠습니다.
뭣이!

니체는 지금 우리가 살고 있는 시대쯤에는 자신의 책이 굉장히 유명해지고
문화
김영사
베스트 셀러
니체

그의 사상을 가르치는 학교도 생겨날 거라고 호언장담했었거든.
밑줄 쫙~
니체의 사상
영원 회귀!

그런데 사실 니체의 호언장담은
이미 실현된 셈이야.
분하다!
니체의 사상
거봐,
맞잖아.

니체는 현재 가장 유명하고 인기가
많은 철학자야.
비록
죽었지만
여한이
없다.

전 세계의 어느 서점에 가나
그의 책들을 만날 수 있단다.
니체
니체
니체

철학계에서는 스타 중의
스타인 셈이지.
어허!
오빠 최고!

또한 인기만 많은 것이 아니라 많은
학자들로부터 현대 철학의 문을 연
선구자 중 한 사람으로 인정받는
철학의 문
1900!
니체 왔다 감

매우 중요한 위치에 있는
철학자란다.
니체 살려
쿵
쿵
중요 보관
아무리
중요해도
사람을….

그렇지만 니체는 많은 오해를 받은
사람이기도 해.
여보.

여러분도 스타가 스캔들에 빠져 곤경에
처한 것을 본 적이 있지? 스타 주변에는
대개 스캔들이 떠돌게 마련이고
바지를
벗어야
믿겠나?

그런 스캔들 중에는 사실과 다른
오해가 많지. 니체 역시 그랬어.
잘못 봤네요.
죄송.
켁!

니체는 오랜 세월 많은 나쁜 소문에 휘말렸단다. 나치즘의 사상적 선구자,
인종주의자, 여성 혐오주의자, 광기 철학자, 무정부주의자 등 그 종류만 해도
매우 다양했지.
쫓아오지 마!
나치즘 선구자
인종주의자
여성 혐오주의자
광기 철학자
무정부주의자

하지만 그런 나쁜 소문들은 그의
삶과 사상에 대한 깊은 이해 없이
만들어진 것들이야.
서운해~.

여러분이 이 책을 읽고 나면 그런 나쁜 소문들이 다 거짓임을 알게 될 거야.
거봐~.
뭐야, 거짓이잖아.

자, 그럼 니체란 사람의 삶에 대해서 알아볼까?
잘해라잉!

니체는 1844년 10월 15일 독일의 뢰켄이라는 작은 마을에서

목사인 카를 루트비히 니체와 프란치스카 니체 사이에서 태어났어.
웬 수염이!?

그런데 잠깐! 니체의 가족에 대해서 먼저 살펴볼까?

니체의 유년 시절을 이해하려면 그의 할아버지 이야기부터 해야겠다.
할아버지 대에서부터~.

니체의 할아버지는 루터파 기독교 목사로 신앙심이 매우 깊었단다.
믿음이 중요합니다.
프리드리히 아우구스트 루트비히 니체

그런데 아내가 6명의 아이를 낳고 죽자, 목사 가정 출신의 젊은 미망인과 재혼을 해서 3명의 아이들, 즉 두 딸 아우구스테와 로잘리 그리고 아들 카를을 낳았어.
많이도 낳았구먼.

막내 아들 카를 루트비히 니체는 프로이센 왕 프리드리히 빌헬름 4세의 지시로

아버지의 뒤를 이어 뢰켄 마을의 목사가 돼.

누나인 아우구스테와 로잘리도 뢰켄에서 카를과 함께 살았지.
우리 왔어.
혼자가 편한데!

카를은 1843년, 역시 목사의 딸이었던 프란치스카와 결혼했고

두 사람은 다음 해인 1844년에 프리드리히 니체를 낳았어.
으아앙!

카를은 아들의 이름을 프리드리히 빌헬름이라고 지었어.
어때, 멋진 이름이지?
많이 들어 본 이름인데?

프로이센의 국왕인 프리드리히 빌헬름 4세와 이름이 같네요?
빙고!

재미있게도 프리드리히 빌헬름 4세의 생일이 니체와 마찬가지로 10월 15일이란다.
생일 축하한다.
축 생신

카를은 이를 매우 뜻 깊게 생각하고 자신의 아들에게 국왕의 이름을 붙인 거야.
축 생신 국왕 폐하
분명 큰 인물이 될 거야.

2년 뒤 니체의 여동생 엘리자베트가, 다시 2년 뒤엔 남동생 요제프가 태어났고

니체 집안은 한동안 평화롭고 행복한 시간을 보냈단다.

그런데 1849년 니체가 5세가 되던 해에 아버지 카를 니체가 갑자기 세상을 떠났고

다음 해엔 니체의 남동생인 요제프마저 죽었어.

연이은 불행 끝에 니체 가족은 할머니의 결정에 따라 뢰켄을 떠나 친지들이 많이 사는 나움부르크로 이사했어.

자, 지금까지 니체의 가족사를 숨 가쁘게 달려왔구나.

여기서 잠깐 니체 집안에 대해 되짚어 볼까?

니체의 할아버지와 아버지는 모두 목사였고 할머니와 어머니 역시 목사 집안 출신이었지.

그렇다면 당연히 니체의 집안은 신에 대한 믿음이 신실했겠지?
아멘!

그런데 이상하게도 이런 가정에서 자란 니체가 나중에 기독교를 신랄하게 비판했어.
신은 죽었다

이번엔 나움부르크로 이사 온 니체 가족의 구성원을 한번 볼까?
니체를 제외하곤 모두 여자들이지?

집안 분위기가 어땠을지 상상력을 한번 발휘해 봐.
화목한 가정이었을까?
.....

모르긴 해도 할머니와 어머니 사이에 갈등이 있었을 테고

니체의 노처녀 고모 두 명과 어머니 사이도 평탄치는 않았을 거야.

무엇보다 가족의 중심이었던 카를 니체가 죽은 뒤여서 집안 여성들의 사이는 더욱 삐걱거렸지.
카를 니체 잠들다

어린 니체에게 서로 집착했고
살려 줘

특히나 어머니의 집착은 더욱 심했어.
누군가 날 주시하는 느낌이야.

여동생 엘리자베트 역시 아버지의 빈 자리를 오빠인 니체에게서 찾았고 오빠를 숭배의 대상으로 여겼어.
우리 아빠야!
!

나움부르크라는 낯선 환경에서 어린 니체는 이런 상황이 매우 힘들었을 거야.

그래서 할머니의 명령으로 나움부르크 시립 초등학교에 들어갔지만

적응하지 못하고 금방 그만두었어. 아마 니체의 불안한 심리 탓이었겠지.
할머니, 못 다니겠어요.

얼마 뒤 니체는 다시 칸디다텐 베버란 사립 학교에 입학했는데

이곳에서 종교, 라틴어, 그리스어 등을 접한 니체는
라틴어
종교
그리스어

공부에 취미를 붙이기 시작했고 매우 우수한 성적을 거두었고
교과서 위주로….

1858년엔 독일에서 가장 유명한 인문계 학교인 슐포르타에 입학했어.
합격자
니체
루인비히 장
베르베르

니체는 특히 고전어와 독일 문학 등에서 뛰어난 능력을 보였어.
화장실 다녀올 테니 나 대신 수업을….
고전
그리스어

게다가 시도 쓰고 음악 동아리를 만들어 작곡도 했단다.
오~ 악상이 떠오르는구나!

이렇듯 니체는 어린 시절부터 굉장히 똑똑하고 비상한 재주를 지닌 소년으로 두각을 나타냈지.
비상한 재주를 지녔구나~.
헉

하지만 그의 학창 시절이 그리 행복했던 것만은 아니야.

여성들로 둘러싸인 가정,
이들 사이의 갈등,
윽
골치야~

그리고 자신과 동생에 대한
어머니의 지나친 집착 속에서
니체는 괴로웠고,
엄마!

이에 대한 반작용으로 가부장적인
남성상을 동경하게 되었단다.
어허!
말이 많군!
늦으셨네요.

니체의 철학에 남성 우월주의가 배어
있다는 지적에는 이와 같은 니체의
성장 배경이 근거가 될 수 있어.

게다가 니체를 평생 괴롭혔던
신체적 증상들이 이미 어릴
때부터 나타났어.
나움부르크 병원

위장 장애, 극심한 두통, 빛에
예민한 눈의 통증 등이 소년
니체를 괴롭히기 시작했지.
얼마나
살 수 있죠?
….

1864년 슐포르타를 우수한 성적으로
졸업한 니체는 본 대학에 들어가서
신학과 고전 문헌학을 공부했어.
나 이제
대학생이야.

신학을 택했던 건 니체가
아버지를 따라 목사가 되기를
원했던 어머니 때문이었는데,
신학

그 당시 니체는 이미 기독교에 대한
회의에 빠진 상태였어.

그 때문에 어머니와 심한 갈등을
빚었지.
목사!
신학

니체는 문헌학을 본격적으로
공부하기 시작해서
한번
해 볼까?

당시 유럽에서 가장 유명한
문헌학자였던 리츨 교수의
수업을 듣게 되지.
만나서
반갑습니다.

리츨 교수는 니체의 천재성을 알아보았어.
천재가 분명해.

그래서 라이프치히 대학으로 자리를 옮길 때, 니체를 데리고 갔단다.
라이프치히에서 지내는 동안 니체는 삶에 있어 중요한 사람들을 만나게 돼.

우선 쇼펜하우어를 알게 됐지.
헉! 저 사람은.

중고 책방에서 쇼펜하우어의 《의지와 표상으로서의 세계》란 책을 접했던 거야.
중고 책방
심 봤다! 아니 책 봤다!
엄청난 감명이 밀려온다.

또한 1868년 당시 굉장한 영향력을 떨쳤던 작곡가 바그너도 만났어.
후훗!

바그너의 음악을 무척 좋아했던 니체는 바그너를 직접 찾아갔지.
저기~ 요.
똑똑

그 자리에서 바그너의 피아노 연주도 듣고 바그너와 이야기를 나누던 중

바그너 역시 쇼펜하우어의 사상에 매료되어 있다는 공통점을 발견한 데다가
자네도?
네!
쇼펜 하우어

바그너의 강렬한 인상과 말솜씨에 홀려 바그너에게 반하고 말았어.
강렬한 인상
유창한 말솜씨
멋져~

니체의 삶에서 바그너는 굉장히 중요한 인물이니 머릿속에 일단 저장해 놓고!

1869년 니체는 스승인 리츨의 추천으로 스위스에 있는 바젤 대학의 고전 문헌학 교수가 됐어.
고전 문헌학
교수 니체

이때 니체의 나이가 24세야. 24세에 대학교수가 되다니 정말 대단하지?
나도 대학교수가 되어 볼까?
초등학교나 졸업해라.

니체가 얼마나 뛰어났고 리츨이 니체를 얼마나 아꼈는지 알 수 있는 일이지.
든든하구먼.
뭘요.

하지만 니체는 그 당시에 이미 고전 문헌학에 대한 흥미를 잃고 있었어.
관심 좀 가져라!
고전 문헌학

고전 문헌학보다는 철학이 자신에게 더 맞다는 확신을 갖게 되었지.
여기가 편하군!
고전 문헌학
철학

하지만 안정적인 대학교수란 직업은 커다란 유혹이었어.
안정적인 생활 보장.
다시 없을 기회인데….

결국 니체는 바젤의 교수직을 받아들였어.
오케이.

본 대학과 라이프치히 대학 그리고 바젤 대학에서의 삶. 그렇게 니체는 6세부터 34세까지 학교에서 열심히 공부하는 학생으로서 또 열정적인 교수로서 살았단다.
밑줄 쫙~.

거의 28년 동안 세상과 격리된 채 학교에서 책만 파고 산 셈이지.

하지만 그는 책만 붙들고 있는 것이 진정한 공부라고 생각하지 않았어.
이건 아니야!

세상과 직접 부딪치면서 얻는 경험과 깨달음이 진정한 공부라고 생각했지.
바로 이거야!

그러니 점점 더 고전 문헌학에
회의를 품을 수밖에 없었어.
또 시작이군.
회의가 들어.

고전 문헌학이란 고전 문헌들을
연구하고 해석하는 학문이기 때문에

더 큰 세계 속에서 자유롭고
거침없는 사유를 펼치고 싶었던
니체에겐 맞지 않았던 거야.

그래서 1870년 니체는 답답한 학교를
떠나 프랑스-프로이센 전쟁에
의무병으로 참전하기도 했어.

하지만 몸이 아파서 곧 바젤로
다시 돌아왔지.
제대를 명 받았습니다.
빠르군
충성!

니체는 고전 문헌학자로서의
자신의 모습이 마음에 들지
않았지만 다른 사람들이
보기에는 대단한 성공이었단다.
대단해!
멋져요!

이미 젊은 나이에 유럽 최고의
고전 문헌학자로서 명성을
떨쳤고,
일간 신문 주니어 김영사
올해의 고전문헌학 교수
프리드리히 니체
바젤 대학
교수 24세

학교에서도 학생들에게 가장
인기가 많은 교수였어.
인기 투표 1위.
말도 안 돼.

학생들은 열정적으로 강연하는
니체의 모습을 보고

마치 고대 그리스인이 살아서 걸어 나온
것 같다는 느낌을 받았지.

또 니체는 멋쟁이 교수였어.
옷도 잘 입었고 이 무렵부터
그 유명한 콧수염을 기르기
시작했거든.
멋지다!

니체는 같은 학교의 교수였던 야코프 부르크하르트와도 깊은 우정을 맺었어.
호오~.

그는 《이탈리아 르네상스의 문화》라는 책으로 유명한 학자란다.
현재까지도 고전으로 추앙받는 책이야.
이탈리아 르네상스의 문화

여러분의 교과서에 실린 르네상스 시대에 관한 설명은 그의 책에서 영향을 받은 거야.
교과서

부르크하르트는, 거대한 역사의 변혁은 그 시대의 공동체 집단이 아니라 자의식을 가진 특별한 개인들이 이루어내는 것이라 주장했고, 니체는 그의 주장에 깊이 공감했어.

그때 마침 바그너와 그의 아내인 코지마가 바젤에서 얼마 떨어지지 않은 트립센 별장으로 이사를 왔지.

바그너의 아내인 코지마는 유명한 작곡가 리스트의 딸이기도 해.
지금도 위대한 피아니스트로 추앙받고 있지.

여기서 코지마 바그너에 대해 잠깐 살펴볼까?

코지마는 원래 바그너의 친구였던 지휘자 폰 뵐로우의 부인이었어.
무슨 얘길 하려는 거야?
왠지 수상하군.

폰 뵐로우는 바그너의 〈트리스탄과 이졸데〉를 처음으로 지휘하는 등 바그너 음악의 충실한 해석자였지.

하지만 코지마는 바그너를 사랑하게 되었어.
부인께서 정말 아름다우십니다.
어머나~
!

결국 남편 몰래 바그너와 사랑을 나누었고, 둘 사이에선 딸이 태어났어.
....

그 새로운 문화의 모습을 그리스 시대의 예술에서 찾았고 바그너의 음악에서 고대 그리스 예술의 재탄생을 보았던 거야.

《비극의 탄생》은 출판되자마자 격렬한 논쟁을 불러일으켰어.
비극의 탄생

물론 바그너와 바그너 숭배자들은 이 책을 극찬했지.
엄청난 책이야.
대단해요.

하지만 많은 문헌학자들이 책을 비판했고, 심지어 니체의 스승인 리츨 교수도 혹평을 했어.
과대평가일 뿐이오.
비판

결국 니체는 문헌학계에서 왕따 신세가 되었고 동료들의 비난에 깊은 상처를 받았어.
저기 니체가 아닌가?
모른 체하게.

하지만 니체가 서서히 문헌학자에서 철학자가 되어 가던 시기였기 때문에 문헌학과의 불화는 피할 수 없는 것이었지.
너무 비판적인 자세군.
다 못마땅해!

이후로도 니체는 바젤에서 계속 학생들을 가르쳤지만 바그너의 이념을 전파하는 데 전념했어.
바그너의 이념
문헌학 수업이 아닌가?
그러게 말이야.

바그너는 이때 트립셴을 떠나 바이로이트로 가서 자신의 예술 극을 공연할 축제를 준비하는 중이었어.
거기! 똑바로 들게.
네.

참고로 바이로이트 축제는 지금도 매년 독일에서 열리고 있단다.

니체는 바이로이트에 자주 들러 바그너를 만났지.
또 왔어요~.

하지만 니체와 바그너 사이는 점점 소원해지기 시작했어.
쩌 적

사실 바그너는 애초부터 니체를
자신을 위한 학문적인 봉사자쯤으로
생각했어.
거기 놓게.
학문 자료

바그너란 사람은 굉장히 독선적이고
다른 사람과의 관계에서도 항상 우위에
서고 싶어 했거든.
나만 믿고
따라와~

하지만 니체는 좀 더 동등한
위치에서 바그너와 관계를 맺고
싶어 했어.
1
1

애초에 니체는 바그너의 충실한 하인이
되기엔 너무 큰 인간이었지.
켁!

게다가 니체는 유대인을 경멸하는
바그너의 인종주의를 도저히
이해할 수 없었어.
유대인 냄새가 나는군. 다른 곳에 가세나.
큭.

니체는 점점 바그너와 거리를 두려 했지. 그와 관련된 유명한 사건이 하나 있어.
사건...

바젤에서 열린 브람스의 공연을 본
니체는 그 곡의 악보를 사서 바그너의
집으로 갔어.
브람스 공연
후읍
저기… 돈은?

니체는 바그너 앞에서 브람스의 곡을
직접 피아노로 연주했고, 그때 바그너와
주위 사람들은 매우 흥분해서 어찌할
바를 몰랐단다.
흣!
컥!

왜냐하면 바그너는 브람스를
지독하게 싫어했거든.
니체는 그 사실을 알면서도
그런 행동을 했던 거야.
좋기만 한데.

니체는 1876년 8월에 마지막으로
바이로이트 축제를 찾았어.
바이로이트 축제
1876. 8

하지만 몸도 굉장히 안 좋은
상태였던 데다 바그너 숭배자들의
야단법석에 진저리가 난 니체는
와~아

축제 일정이 남았는데도
바이로이트를 떠나 버렸어.
있을 곳이 못 되는군.
바이로이트 축제

그날 이후 니체는 바그너와
결별하기로 마음먹었지.
치이이익~.

그 후 니체와 바그너가 마지막으로 만난 것은 1878년 겨울이었어.
니체는 이때 건강이 안 좋아서 기후가 온화한 이탈리아의
소렌토에서 지내고 있었는데,

우연히 바그너의 가족도 소렌토로 겨울 휴가를
온 거야.
!
하이~

바그너는 니체와 함께 산책하면서 자신의 작품 〈파르치팔〉에
대해 이야기했고 그 작품이 지닌 기독교적인 면에 대해서
언급했어.
….

기독교에 대해서 비판적이었던
니체는 아무 말도 없이 바그너의
곁을 떠났어.
엥?
어딜
간 거야.

그것이 두 사람의
마지막이었지.
이봐~!
무섭단 말야.
같이 가!

니체의 건강은 극도로 나빠졌어.
소년 시절부터 시작된 두통과
위장 장애는 평생 그를 따라다녔지.
위장 장애
두통
이제
그만
떨어져!

바젤에서 교수직을 더 이상
유지할 수 없는 상태까지 이르자
휘청
저… 저.
어디
아프신가?

1879년 교수를 그만 두었어.

그후 니체는 자신의 생에서 남은
10년을 방랑자로 살아가.

가방 하나만 달랑 메고 남부 프랑스와 이탈리아, 스위스를 떠돌았단다.
남부 프랑스 찍고….
온화한 기후가 건강에 좋다는 의사의 충고로 따뜻한 지역을 찾아다녔던 거야.
프랑스
스위스
오스트리아
이탈리아

하지만 건강이 좋아지진 않았고, 계속된 고통으로 발작 증세까지 자주 보였어.
크 아아아 악
여전히 안 좋군.

그는 한정된 몇몇 사람들만을 만나며 고독하게 지냈고,
암호?
….

바젤 대학에서 나오는 퇴직 연금을 모두 책을 출판하는 데 쓰며 자신은 매우 검소한 생활을 했지.
독일판 자린고비.

하지만 정신적으로 니체는 여전히 건강했어.
난 멀쩡해!

그는 극심한 육체적 고통, 직업도 가족도 없는 방랑 생활, 고독 속에서 자신의 사상을 일구어 갔어.
철학만이 나의 벗….
휘이잉~

방랑의 시기에 한 여인을 사랑한 일도 있었어. 루 살로메라는 러시아 출신의 매우 지적인 여성이었지.
아름다운 여인~.

1882년 로마에 머물고 있던 중 친구인 파울 레의 소개로 루 살로메를 만났는데
이쪽은 루 살로메
어서 소개를!

사실 파울 레가 이미 루 살로메를 마음에 품고 청혼을 했지만 거절당했던 일이 있었지.
친구로 지내.

니체도 레와 마찬가지로 루에게 두 번이나 청혼을 했지만 모두 거절당하고 말았어. 루는 니체의 정신과 지식을 사랑했을 뿐이거든.
싫.어.요.
나와 결혼해 줘~.
제발 결혼을….

니체와 파울 레, 루 살로메 세 사람 사이의
미묘한 삼각관계는 그리 오래 가진 못했어.

루에 대한 니체의 감정을 알게 된 파울 레가 니체와 루
사이를 떨어뜨려 놓으려 했고,
숙녀를 기다리게
하다니 너무해.
이 간 질
역시 나오질
않는군.

니체의 여동생인 엘리자베트는 자기보다 젊고 지적인
루를 좋아하는 오빠를 보고 질투심에 불타
루를 험담하는 등 갖가지 방해 공작을 펼쳤어.
루가 그러는데
오빠가 이기적이고
멍청하대.
쫑긋
뭐야
휙

엘리자베트의 집요한 음모가 계속되면서 두 사람의
오해는 쌓여 갔고 결국 니체와 파울 레, 루 살로메의
우정에도 금이 가기 시작했지.
흥!

여기서 잠깐
니체의 여동생인
엘리자베트에
대해서 알아볼까?
준비됐나?
넵!

니체의 남동생인 요제프가 죽자
니체에겐 엘리자베트가 유일한
형제였어.
아버지가 없는 엘리자베트에게 니체는
아버지나 마찬가지인 존재였고
숭배의 대상이었지.
니체 최고!
윽!
믿습니다!

하지만 엘리자베트는
니체에게 많은 고통을
준 인물이기도 해.
큭!

우선 니체와 루 살로메와의 관계를
깨뜨리려고 온갖 음모를 만들었고,
니체와 루 사이 깨뜨리기

반유대주의자인 푀르스터와 약혼해
니체를 힘들게 했지.
더러운
유대인!
혐오스럽구먼!

그뿐만이 아니야. 엘리자베트는 니체가 죽고 난 뒤에도 니체에게 독과 같은 인물이었어.
니체의 명성이 점점 커지자 그녀는 오빠를 철저하게 이용했어. 니체에 관해 사실과 다른 신화들을 만들어 냈고,
이를 이용해 자신의 명성과 사회적 지위를 높이려 했지.

심지어 니체 박물관을 만들어 정신이 쇠약하고
말도 못하는 니체를 전시하기도 했단다.
축 개장
니체 박물관

엘리자베트가 조작한 니체에 대한 수많은 잘못된
이야기들은 현재 많은 사람들이 가지고 있는 니체에
대한 편견에 직접적인 영향을 주었지.
나치주의자.
인종
차별주의자.
반유대
주의자.

루 살로메와의 사랑이 실패한 1882년
겨울, 니체는 다시 고독한 방랑 생활로
돌아가 최악의 겨울을 보냈어.
살려 줘
고독
쓸쓸

잠시 청명한 날이 찾아왔던 1883년
여름, 위대한 사유가 몰려오자

니체는 권태감과 우울증에서
벗어나 《차라투스트라는 이렇게
말했다》의 1부를 집필했어.

이때부터 니체는 아주 빠른 속도로
책의 3부까지 쓰고 1884년 1월에
마지막 4부를 완성했지.
끝

그리고 스스로 이 책을 자신의 최고
작품일 뿐만 아니라 다른 어떤 작품보다
뛰어난 걸작이라고 평가했어.
저 사람들
작품보다 뛰어나.
단테
괴테
셰익스피어

니체의 창조적인 정신은
거의 정점에 달했고
아포리즘(잠언)이라는 니체만의
스타일도 완성된 상태였어.
창조

예민하고 감수성이 풍부했던 소년기, 빼어난 문헌학자로서의 시기, 열렬한 바그너주의자를 지나 이제 니체는 자신이 그렇게 갈구했던, 자신만의 독특한 사유를 지닌 철학자가 된 거야.
차라투스트라
소년기
문헌학자
바그너주의자
철학자

하지만 그 정점의 시기에도 그의 삶은 여전히 괴로웠어.
편할 날이 없구나.
그러게.

어머니와 여동생과의 관계는 점점 더 나빠졌고, 건강 역시 악화되기 시작했지.
왜 여기서 싸우는지….

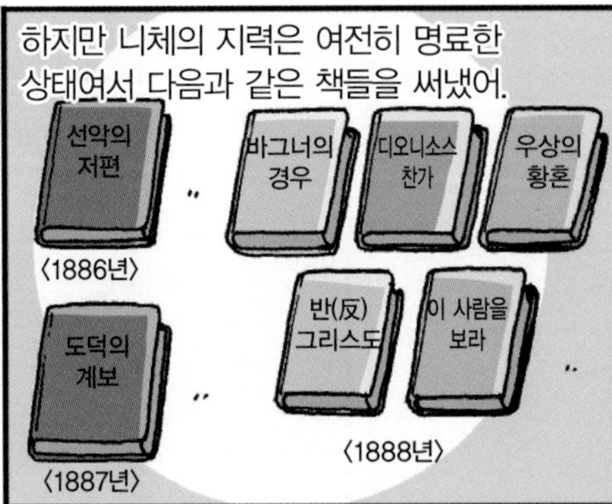
하지만 니체의 지력은 여전히 명료한 상태여서 다음과 같은 책들을 써냈어.
선악의 저편
〈1886년〉
바그너의 경우
디오니소스 찬가
우상의 황혼
도덕의 계보
〈1887년〉
반(反) 그리스도
이 사람을 보라
〈1888년〉

너무나도 고통스러웠지만 혼신의 힘을 다해 사유를 계속하며 글을 썼지.

하지만 창작욕이 불타는 시기는 곧 끝나고 말아.
1888년이 니체의 정신이 온전했던 마지막 해였으니까.

1889년 1월 3일, 투린의 카를로 알베르토 광장에서 난폭한 마부가 말을 심하게 채찍질하고 있었어.
짝!

그때 갑자기 한 남자가 통곡을 하며 그 말에게 다가가
그만두시오!

말의 목을 끌어안고 쓰러졌어.
흑… 흑.

이 남자가 바로 니체였어.

의사는 니체에게 정신병 진단을 내렸어.
확실합니다.
얼쑤

그 후 10년 동안 니체는 정신이 혼미한 상태에서 엘리자베트의 간호를 받으며 살았어.

그리고 1900년 8월 25일, 니체는 눈을 감았고 뢰켄 마을의 묘지에 아버지와 함께 묻혔지.
프리드리히 니체
카를 니체

지금까지 니체의 생애를 살펴보니 어떤 생각이 드니?
안쓰러워 죽겠어요!
프리드리히 니체

평생 아픈 몸으로 살았고, 사랑도 못 이루고, 10년간 방랑하다가 마지막 10년은 정신병자로 살았고,
큭!

사후에도 여러 가지 나쁜 소문들로 오해받은 사람이 바로 니체니까.
나치주의자.
몹쓸 인간.
그렇다고 절대로 패배하지 않는다!

하지만 니체의 불행한 삶은 그를 패배시키진 못했어.
불행한 삶
불행한 삶을 안겨 주마!
팟

그에게는 철학이 있었단다.
헉!
챙
철학의 검

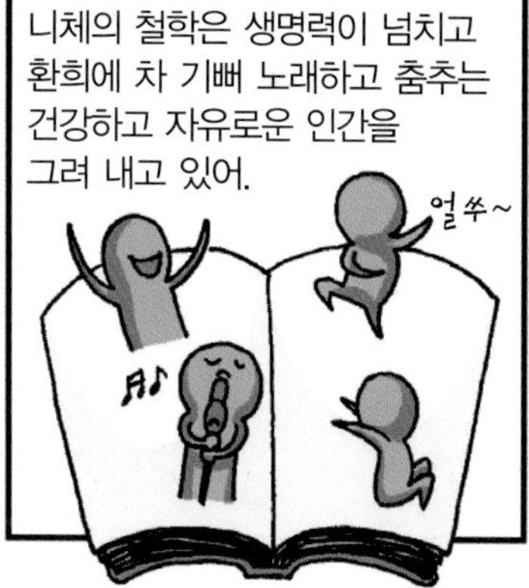
니체의 철학은 생명력이 넘치고 환희에 차 기뻐 노래하고 춤추는 건강하고 자유로운 인간을 그려 내고 있어.
얼쑤~

니체는 철학을 통해서 자신의 삶을 치유한 몇 안 되는 사상가 중 한 사람이지.
치유되었습니다.
얼쑤~

특히 우리가 만날 《차라투스트라는 이렇게 말했다》가 바로 그의 사상을 대표하는 책이야.
짜잔~!
차라투스트라는 이렇게 말했다

자, 그럼 이제 《차라투스트라는 이렇게 말했다》를 본격적으로 읽어 볼까?
네~ 예!

제3장 신은 죽었다!

신

자, 이제 본격적으로 차라투스트라를 만나 보도록 하자.

우리가 처음 만날 차라투스트라의 말은 '신은 죽었다!'라는 선언이야.
신은 죽었다!

이 책의 1부 머리말에서부터 니체는 차라투스트라의 입을 빌려 신의 죽음을 이야기한단다.
오~호.

차라투스트라는 서른이 되던 해에 고향을 떠나 산 속으로 들어갔어.
떠나자

그리고 그렇게 10년간 고독을 즐기던 그는,

사람들에게 자신의 지혜를 전해 주기 위해서 산을 내려오기로 결심하지.
그래, 결심했어!

차라투스트라가 산을 내려와 처음 만난 이는 어느 성자였단다. 그는 성자에게 산을 내려온 이유를 설명하고 인간에 대한 자신의 사랑을 이야기하지.
사람이다!

나는 사람들을 사랑하노라.
그러신가.

그러면 나는 무엇 때문에 숲 속으로, 그리고 광야로 갔더란 말이냐?
사람들을 너무나도 사랑했기 때문이 아니었던가?

나는 이제 신을 사랑하노라. 사람은 사랑하지 않노라.
신
사람, 그것은 너무나도 불완전한 존재다.

성자께서 숲 속에서 하는 일은 무엇인가?
노래를 지어 부르지.

또 노래를 지으면서 웃고 울며 중얼거리지.
폴짝!

신을 찬양하세
어찌 이런 일이 있을 수 있단 말인가! 저 늙은 성자는 숲 속에 살고 있어서 신이 죽었다는 소문을 듣지 못했다는 말인가!

차라투스트라는 산에서 내려와 처음 만난 인간인 성자에게 '신이 죽었다는 소식'에 관해 말해.

즉 이 책에 처음으로 나오는 차라투스트라의 말이 바로 '신의 죽음'이야.
차라투스트라는 이렇게 말했다
신의 죽음

차라투스트라가 인간에게 알려 준 첫 소식이니만큼 '신의 죽음'은 중요하고 의미심장한 사건이야.
신은 죽었다.
뭐라는 거야.

여러분도 '신은 죽었다'라는 니체의 말을 들어 본 적이 있지?
'니체=신은 죽었다' 라고 알고들 있겠지.
...

하지만 그 뜻을 제대로 이해하는 사람은 그리 많지 않단다.
끝까지 들어야지…!
잠자리다~

특히 기독교 신자들은 무턱대고 니체를 사악한 악마라고 여기기도 해.
물러가라, 악마!

하지만 먼저 '신의 죽음'이란 사건이 의미하는 바를 알아본 뒤에 니체를 비난해야 하지 않을까?
신의 죽음

만약 이 책을 읽고 있는 여러분 중에 교회에 다니는 사람이 있다면 먼저 니체가 말한 '신의 죽음'이 어떤 의미인지 정확히 아는 것이 중요해.
알지도 못하면서!
억울할 거야.
그러게요….

그런 다음 그의 의견에 동의하거나 반대해야 하겠지.
신은 죽었다.
찬성.
반대.

그것이 공부를 하고 책을 읽는 가장 기본적인 태도란다.
이런 뜻이구나.
의미를 아니까 이해도 쉽잖아.

자, 그럼 차라투스트라가 인간에게 전한 첫 소식인 '신의 죽음'을 통해 니체가 말하고자 했던 바는 무엇인지 살펴보도록 하자.
신은 죽었습니다.
어떤 뜻인가요?

앞에서 봤던 차라투스트라와 성자의 대화로 다시 돌아가 보자.
어디까지 말했었지?
예전엔 사람을 사랑했으나, 지금은 신을 사랑한다고 말했어.

그럼 왜 인간을 사랑했던 성자가 인간을 혐오하고
신을 사랑하게 되었을까?
인간에 대해서
뭐라고 했었지?
인간은
불완전하다고
했잖아,
멍텅구리!

성자가 신을 찬양하게 된 이유는
신이 완전한 존재이기 때문이랬어.

언뜻 보면 성자가 신을 사랑하는
이유를 수긍할 수도 있을 것 같아.
어때,
수긍이 가지?

아무리 위대한 사람이라도 삶 전체를
보면 비난받을 만한 일들이
이 산이
아닌가벼.
나, 나폴레옹

몇 가지씩은 발견되니까.
완전한 사람이
어디 있겠어?

역사 이래로 인간은 언제나
완전한 존재를 동경해 왔어.

그러한 동경이 한편으론 인간의
문화를 만들고 발전시키는 등
긍정적인 역할을 해 온 것도
사실이야.

하지만 한편으론, 끊임없이 인간
스스로에 대한 혐오와 불신을
낳아 부정적으로 작용했지.
왜 나는 신처럼
오래 살지 못하는
거냐고!
…

여기서 주목할 것은 완전한
존재라는 관념이 인간에 대한
혐오와 불신으로부터 만들어졌다는
사실이야.
혐오
불신

인간은 언제나 변화가 많고
예측하기도 힘들지.
아까는 먹고
싶다며!
싫어, 살쪄!
닭 꼬치

그래서 인간은 모순덩어리인
자기 자신과 자신의 삶을 견딜
수가 없었고
고뇌
고뇌
결국 왕인 나도
늙어 죽을 수밖에
없는 나약한 인간일
뿐이야.

완전한 존재와 완전한 세계를 바라게 된 거지.
그래서 만들어진 것이 '신'과 '천국'이라는
관념이야.
오라~ 완전한 세상으로~.
!

이것이 니체가 분석한 신이라는 관념의 역사이고 니체는
그러한 신의 관념을 비판했어.
인간의 나약함으로 만들어진 허상일 뿐!

그러면 이렇게 반문할 수 있을
거야. 인간은 모두 늙고 병들며
결국 죽음을 맞이하고,
먼저 갈게, 지혜야~.

야생 동물들과 비교할 때 힘도 약하며,
어-흥!
전쟁을 통해 자신의 종족을 죽이기도
하는 등 비도덕적인 모습을 보이는
존재 아닌가? 하고 말이야.
쾅
콰쾅

그런 인간을 긍정할 수는 없는 일이잖아요.

그리고 그러한 까닭으로, 인간인
우리가 신의 존재를 꿈꾸었다고
해서 그게 잘못이라고 할 수 있을까?
체포합니다.
무슨 죄로?

또 우리 인간이 불완전한 존재라면
완전한 존재인 신이 인간을
다스리는 것이 당연하지 않을까?
우리를 다스려 주세요~.

그런 신에게 복종하면서 살아가는 것이
인간의 소명이 아닐까? 등의 의문이
생기는 것도 당연해.
인간의 소명입니다.
소명.

그러나 니체는 단호하게 말하고 있어.
'우리의 삶, 그리고 그 삶을 살아가는 우리에겐 아무런 죄가 없다.
'신'을 생각해 낸 것은 참으로 비열한 생각이었어.
왜냐하면 그건 용기 없는 인간이 자신의 삶을 변명하기 위해서 만들어 낸 허상이기 때문이지.

인간은 자신이 발을 딛고 선 대지를 부정하고 증오하면서 눈을 하늘로만 향했다.
왜 자꾸 쳐다보는 거야?

사실 하늘에 무엇이 있겠는가? 인간이 하늘에 대해서 무엇을 알아냈겠는가?
달나라에 토끼는 없다.

인간은 대지 위에서 가질 수 없었던 것들, 꿈에서나 보았던 것들을 온통 하늘에 그려 넣었고

그것이 하늘에 실제로 있다고 생각하기 시작했다.' 라고 말이야.
니체가 폭로한 것은 바로 인간의 이러한 나약함이야.
뿅

'삶의 의미를 자기 자신에게서 찾지 못하는 것은 그것을 찾으려는 노력과 용기가 없기 때문이며
노력도 없이 기도부터 하다니.

인간이 죽을 수밖에 없는 존재라 해도, 그것이 곧 인간의 삶이 의미 없다는 뜻은 아니다.
어차피 그렇다면 실컷 놀자.
휙
휙

오히려 우리는 우리의 삶에 충만한 의미를 새겨 넣어야 한다.' 고 생각했던 것이지.

하지만 인간의 실체는 니체의 생각과는 달랐어.
왜냐하면 그건 매우 어렵고 힘든 일이니까.

또 인간에겐 자신의 모습을 있는 그대로 인정할 수 있는 용기가 없었지.
내가 어때서 싫다는 거야?

마치 외모가 못생긴 사람이 콤플렉스에 빠져 자신의 존재를 혐오하게 되듯이, 인간은 스스로와 그 삶을 혐오하게 된 거야.
니체가 본 인간의 역사는 그런 콤플렉스의 역사였어.

바로 그때 차라투스트라가 산에서 내려와 긴급 뉴스를 전해.
뉴스 속보

'신은 죽었다'라는 엄청난 소식이었지.
웅성
신은 죽었다.
펑
와

그런데 여기서 신의 '죽음'은, 일반적인 의미의 '사망'이 아니야.
죽은 게 아니잖아!
속뜻을 알아야지~.

차라투스트라가 전한 신의 죽음은 이제 인간에게 신의 가치가 사라졌음을 의미해.
이제 좀 쉬세요~.

예전만큼 신이 인간의 삶 속에서 의미를 갖지 못하고 그 존재감을 잃었다는 것이지.

그러면 신이 죽음을 맞이한 이유는 무엇일까?
첫 번째 원인은, 신이 인간을 연민했기 때문이야.
연민
쿡!

차라투스트라는 이렇게 말해.
언젠가 악마가 내게 이렇게 말한 적이 있다.
?

"신 또한 자신의 지옥을 갖고 있다.
사람에 대한 사랑이 바로 그의 지옥이다."라고.
도와줘야지.
참견 좀 하지 마.
도 와줘~!

'그리고 악마는 이런 말도 했다.'
신은 죽었다. 사람들에 대한 연민의 정 때문에 신은 죽고 만 것이다.

신이 인간을 사랑했고 그래서 인간을 불쌍히 여겼기 때문에 죽다니? 이게 무슨 말일까?
?
?

연민이란 기독교의 덕목 중 하나야.

기독교에선 남을 불쌍히 여기는 마음을
아름답다고 말하지.
아름다운
마음이야~.
여기….
나약한 자들의
가치일 뿐이야.

차라투스트라는 신을 죽인 인간을
이렇게 부른단다.
더없이
추악한 자!

그 더없이 추악한 자는 차라투스트라에게 신을 죽인 이유를
이렇게 설명했어.
모든 것을 목격한 바 있는
그런 눈으로 사람들의 깊은
속내와 바탕, 은폐된 치욕과
추함을 남김없이
보고 말았으니,

그의 연민은 수치심을
알지 못했다. 그리하여 그는
나의 더없이 추악한 구석구석까지
파고들어 왔던 것이다.

인간이 신을 죽인 이유는 신의 연민을
견딜 수 없었기 때문이야.
호기심 많고 주제넘은 자,
연민의 정이 너무나도
깊었던 자는 죽어
마땅하다.

신이 연민했던
인간은 자신의 삶을
경멸하고 부정하는
이들이었지.
난 왜 이래!!

하지만 그들은 자기 자신이
수치스러웠고, 그런 모습을 낱낱이 보고
있는 신을 견딜 수 없었던 거야.

신의 연민은 더없이 추악한 자의
수치심을 더욱 증가시켰고
다
괜찮아.
어젯밤에
오줌 싼 것도.
콕
무좀
있는 것도.
여자 친구
없는 것도.

인간은 자신을 불쌍히 여긴
신을 증오하게 되었지.
파직

여러분도 그럴 거야.
누군가 나를 동정하는 것만큼
나를 초라하게 만드는
일도 없지.
머리가 나빠도
사는 데 지장 없어.

그래서 인간은 신을 죽였던 거야.

하지만 더없이 추악한 인간에 의한
신의 죽음은 불완전해.
드르렁~
컥!

왜냐하면 신이 죽었다고 해서
인간의 추함이 사라지진 않거든.
파직
외롭지?
오줌싸개!
무좀!

인간이 어떻게 신이란 관념을 만들어
냈는지 기억해 봐.
자기 자신의 삶을 긍정하지 못하고
불완전하고 추한 것으로 부정할 때 신을 만들어 낸다고 했어요.
맞아~

결국 신을 죽인 인간은 다시
신을 살려 내고 말아.
다시 도와줘요.

이 책의 4부에서 차라투스트라는 나귀를 신으로 받드는 '나귀의 축제'에서
더없이 추악한 자가 새로운 신앙을 부활시키는 장면을 목격해.
툭

그러면 신을 완전하게 죽이는
방법은 무엇일까?
더없이 추악한 자가 썼던 증오와 앙갚음 말고~.

니체는 '웃음'만이 신을 완전하게 죽일 수 있다고 말해.
웃음으로…?
이해가 안 가요.

신의 죽음은 신의 의미와 가치의
몰락이야.
우르르르…
하
하 하
하

웃음은 차라투스트라가 우리에게 제시하는 중요한 덕목이야.
삶을 긍정하는 자가 가지는 삶에 대한 태도를 의미하지. 삶을 긍정하는
자에겐 신이 필요 없단다.
해냈어!
하하하
좋았어!
긍정적 자세
웃음으로 신을 죽일 수 있다는 말은 그런 뜻이야.

여기서 잠깐! 이 책을 읽을 때 유의할 점을 말해 줄게.
주의
유의사항

니체는 이 책에서 자신이 말하려는 바를 논리적으로 설명하지 않았어.
쉽지~
않아~.

수많은 비유와 상징을 통해 예술적으로 그려 냈지.
니체 작(作)

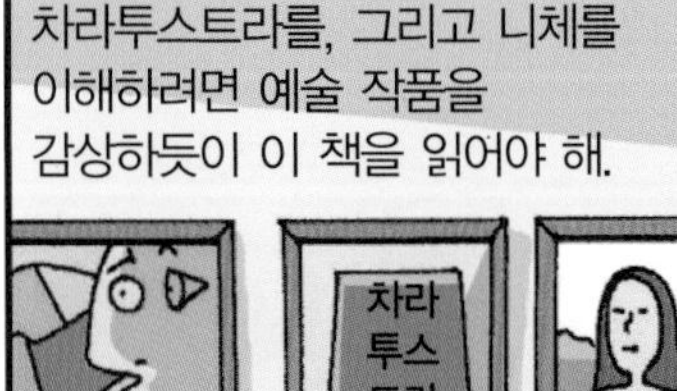

차라투스트라를, 그리고 니체를 이해하려면 예술 작품을 감상하듯이 이 책을 읽어야 해.
차라 투스 트라
흐~ 음.

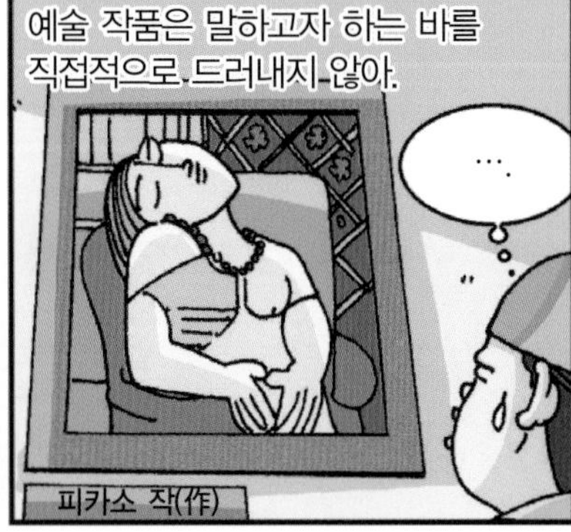
예술 작품은 말하고자 하는 바를 직접적으로 드러내지 않아.
….
피카소 작(作)

그래서 음악을 듣듯이 천천히 이 책을 감상해야 해.
조급하게 생각하지 말고 천천히.

다시 본론으로 돌아와서 신이 죽은 두 번째 원인을 알아보도록 하자. 신을 죽인 두 번째 살해자는 바로 교회와 사제들이야.
두번째 살해자
차라투스트라의 말을 들어 볼까?
오오~ 사제들이 지은 이 오두막을 보라! 저들은 감미로운 향으로 가득한 저들의 동굴을 교회라 부른다.

'저들은 자신들을 거부하고 괴롭힌 존재를 신이라고 불러 왔다.
착하게 살아라.

실로 저들이 하는 경배 속에는 영웅적인 것이 많이 깃들어 있었다!

그리고 저들은 그 사람을 십자가에 못 박는 것 말고는 달리 사랑할 줄 몰랐다!

저들이 말하는 구세주의 영혼은
갈라진 틈새 투성이다.

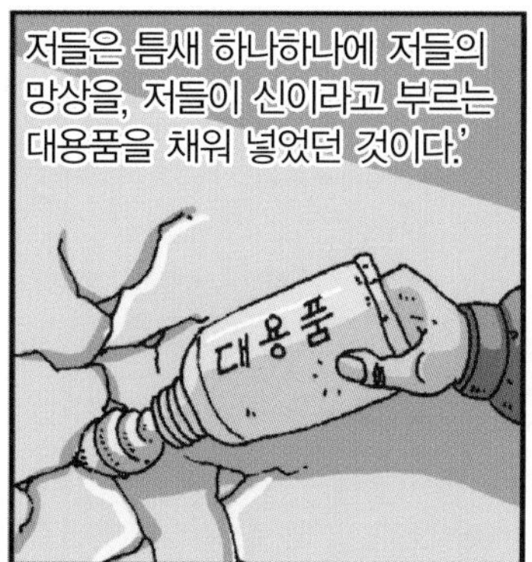
저들은 틈새 하나하나에 저들의
망상을, 저들이 신이라고 부르는
대용품을 채워 넣었던 것이다.'
대용품

니체가 교회와 사제들을 신의 살해자로
지목한 것은 역설적이게도 예수를 너무나
위대한 존재로 생각했기 때문이야.
저 위대한 사람을 죽게 두다니!

니체가 보기에 기독교의
사제들과 그들이 세운 교회는
본래 예수 그리스도가 전했던
가르침을 왜곡하고
쫑긋

오히려 예수가 그토록 비판했던
가치들로 무장해 있었어.

그래서 니체는 교회를
예수의 무덤이라고 불렀단다.

그럼, 니체가 생각하는
예수 그리스도는 어떤
사람일까?
맞혀 봐.

니체는 자신의 저서인 《반(反) 그리스도》에서
자신이 생각하는 예수의 모습을
그리고 있어.
제목과는 달리
예수를 긍정적으로
평가하는 책이야.
반(反)
그리스도

니체가 이 책에서 말하는
예수의 복음은 다음과 같아.
아래를 봐.

첫째, 예수는 그동안 사제들과 교회가 '인간의 죄'와 '그에 대한
신의 벌'이라는 구조를 강조한 탓에 신과 인간의 거리가 멀어졌다고
생각해.
저런 얘기한 적 없다고!

둘째, 예수는 신앙의 삶을 강조하지 않았어.
그게 아니었나요?

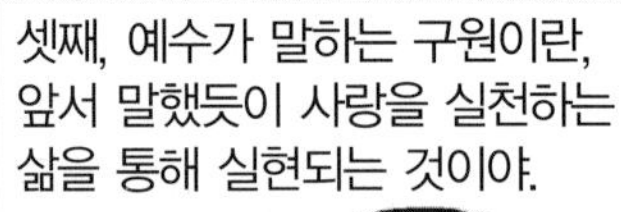

*피안 – 현실적으로 존재하지 않는 관념 속 세계를 말함.

다섯째, 마음의 천국을 가진
사람은 누구나 구원받은
것이며, 누구나 다 하나님의
자식이야.

다섯

왜냐하면 예수의 죽음 이후, 중세 유럽의 교회를 거쳐
근대에 이르기까지 교회와 사제들은 삶에 대한 사랑과
천국의 실천을 강조한 예수 본래의 가르침이 아닌

유일신과 그의 유일한 아들인 예수, 그리고 사랑을
통한 구원이 아니라 불멸에 대한 믿음과
신앙을 통한 구원,
신의 아들이자 불멸의 존재이니 무조건 믿어!

또 부활과 심판이라는 종말론적
교리만을 가르쳐 왔으니까.
예수 안 믿으면 어떻게 된다고?
지옥 가요.

따라서 예수의 가르침을 왜곡한
교회와 사제들이 신을 죽인 것과
같다는 게 니체의 생각이야.

지금까지 차라투스트라가 전한 엄청난 소식, 즉 '신의 죽음'과 그 죽음의 두 가지 원인을 살펴보았어.
호~오

두 가지 원인에서 보듯 신은 스스로
죽은 것이 아니라, 인간이 죽였다는
사실을 알 수 있어.
모두 체포하시오.

그런데 사실 신의 연민을 못 견뎌
신을 죽인 더없이 추악한 자와,
예수를 십자가에 못 박아 죽인
교회의 사제들에게는

우리가 사는 현실을 부정하고,
비현실적인 세계를 동경한다는
공통점이 있지.
공통점이 많구나~.
같은 부류야.

이런 인간들이 바로 왜곡된 신의 관념을 만들어 냈고
결국엔 자신이 만들어 낸 신을 다시 죽이는
끔찍한 짓을 벌인 거야.

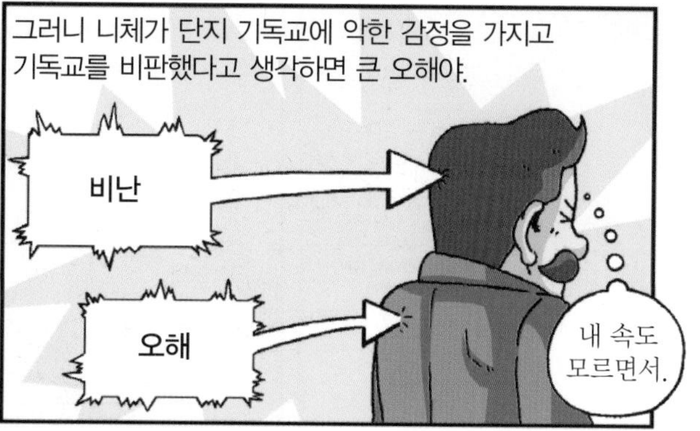
그러니 니체가 단지 기독교에 악한 감정을 가지고
기독교를 비판했다고 생각하면 큰 오해야.
비난
오해
내 속도 모르면서.

니체는 목사 집안의 아들이었고
누구보다 기독교적 삶을
살았던 사람이야.

물론 기독교를 비판하게 되었고, 점차
기독교로부터 멀어졌지만

예수에 대한 그의 연구를 볼 때
그는 누구보다도 기독교의 진정한
의미를 찾으려 노력했던
사람이기도 해.

그래서 야스퍼스란 철학자는 그를
이렇게 평가했어.
니체는 기독교
비판을 통해서 오히려
종교적으로는
더욱 성숙하였다.

그리고 니체는 단지 종교적인
측면에서만 신의 죽음을
이야기한 것이 아니야.
또 있어.
유럽 문명의 병듦과 그 결과로서의
신의 죽음을 선언하려고 했지.
우르르르르...
유럽 문명

니체가 보기에 서양 문명은 항상 삶의 현장인 대지의 가치를
부정해 왔고, 피안의 세계에 모든 의미와 가치를 두었거든.
대지를 싼값에
팝니다.
가치 있는 위의
세계를 사고
싶은데.

예를 들어 고대 그리스의 철학자인 플라톤은
이렇게 주장했어.
우리가 사는 현실 세계는
모두 허상이고 진정한 세계는
저 너머 어딘가에
존재한다.

플라톤은 그 진정한 세계를
'이데아'의 세계라고 말했어.
어딘가에
있을 텐데.

기독교 중심의 중세 시대에는 우리가
사는 현실 세계를 죄악으로 물들어
있다고 깎아내렸지.
내 세상~
지옥.
그리고 인간이 진정한 평화와 안식을
얻어 영원히 살 수 있는 세계, 곧
우리가 진정으로 찾아야 하는 세계는
'천국'이라고 강조했어.
천국.

근대에 들어서도
예외는 아니었단다.

칸트 같은 철학자는 우리가 사물의 진정한 모습을 알 수 없다고 말했어.
인간이 가진
인식의 한계 때문이야.
어째서!

인간은 항상 하나의 틀을 가지고 세계를 바라볼 수밖에 없어.
지혜는 대체
어디에 있는 거지?

틀을 벗어나서는 아무것도 파악할 수가 없으니 마치 특정한 색안경을 쓰고 세계를 바라보는 것과 같아.
산은~ 산이고
물은~ 물이로다.

따라서 인간은 결코 인식 너머에 존재하는 세계의 참모습을 알 수 없다는 설명이야.
뭐가
있을까?

좀 더 정교해지긴 했지만 결국 우리가 경험하는 현실이 진정한 세계가 아니라는 플라톤과 기독교의 설명을 칸트 역시 그대로 이어받고 있지.
받아!

이데아
신
물자체
이렇게 서양의
문명은 플라톤의
이데아에서 중세의
기독교적 신,
그리고 근대
철학자들의
'물자체'에
이르기까지
물자체 – 인간 인식의 유한성 때문에 알 수 없는 사물의 본질

그 이름만 달리했을 뿐,
'저 세계'란 관념을 추구해 왔단다.
물자체
서양 문명
신
이데아
어차피
같은 거니까
함께 두자.

이렇듯 서양 문명은 한결같이 우리의 삶을 부정하고 혐오해 왔어.
갑자기 삶을
부정하고 싶네.
부정
부정
서양 문명
신
물자체
이데아

니체는 살아가면서 삶을 혐오하는 것이야말로 서양 문명의 병이라고 생각했어.
대지의
피부병!

어쩌면 니체가 살았던
당시 신의 죽음이란
보편적인 현상이었어.

19세기는 과학의 발전이 절정에 달했을 때였고, 인간의 이성에 대한 믿음이 이미 신에 대한 신앙을 넘어서고 있었거든. 그래서 과학적으로, 이성적으로 바라볼 때 허점투성이였던 기독교는 처량할 정도로 그 위치와 권위가 떨어져 있었지. 무신론자들도 굉장히 많았고 말이야.
요즘도
교회를 가니?
일요일인데
교회 안 가?
웅성
웅성

하지만 니체가 신의 죽음을 통해서 드러내고자 했던 서양 문명의 병폐는 그가 살았던 시대 역시 비껴가지 않았어.
과학적 이성

왜냐하면 과학적 진리나 이성에 대한 맹신 역시 신앙의 태도와 별반 다를 게 없거든.
우린 같은 존재.

겉모양만 바뀌었을 뿐 과학자와 철학자가 교회 사제의 역할을 대신하고 있었어.
누구냐
넌?
넌
누구냐?

그들은 여전히 완전한 것을 꿈꾸었고, 있는 그대로의 삶을 부정했거든.
좀 더
완전한
뭔가가
필요해

그렇게 본다면 지금 우리가 살아가는 세계에도 또 다른 모습을 한 사제가 존재하는지 몰라.

그들이 가르치는 신앙은 국가일 수도 있고, 자본일 수도 있어.

우리가 그런 세계에 살고 있는 한 차라투스트라의 선언은 오늘날에도 여전히 새로운 소식인 셈이지.
신의
죽음
신의
죽음
계속 신간

차라투스트라는 신앙의 태도가 존재하는 한 우리에게 말할 거야.
기쁜 소식을
알려 주겠다.
'신은 죽었다.'

그렇다면 니체와 차라투스트라는
우리에게 그것이 왜 기쁜 소식이라고
전할까?
기쁜 소식

'신의 죽음'이 우리에게 새로운 삶을
가져다줄 계기이기 때문이야.
새 삶

이제 신은 죽었고 저 세계에
대한 신앙도 사라져야 해.
잘해 봐.

우리 스스로 삶의 의미와 가치를
찾아 나설 수밖에 없지.
이제부터
스스로!

이때 또다시 우리의 삶을 부정하고 또
하나의 저 세계를 설정해서는 안 되겠지?
그것은 또 다른 신의 부활을 의미하니까.
참자!
부정해~

앞에서 신을 완벽하게
죽이는 니체식 방법이
'웃음'이라고 했지?
하
하
네…
네…

우리는 이제 대지 위에서 웃을 줄
알아야 해.

즉 대지라는 우리의 삶을 있는 그대로
인정하고 웃음 지으며 긍정할 수 있어야
하겠지.
공부도
열심히!
김영 초등학교

그것은 인류의 역사와
문명에 있어 새로운
전환점이 될 거야.
전환점

니체가 우리에게 전한 기쁜 소식은
바로 우리가 새롭게 태어나야 할 시간이
왔다는 거야.
준비해.
준비.
쩌적
쩌적

그렇게 전과는 전혀 다른 새로운
인간상을 니체는 '위버멘쉬'라고 불러.
독일어로
Übermensch
영어로는
overman,
superman이라고
불러.

위버멘쉬에 대해선
뒤에서 자세히
살펴보도록 하자.

제4장 형이상학적 이분법과 힘에의 의지

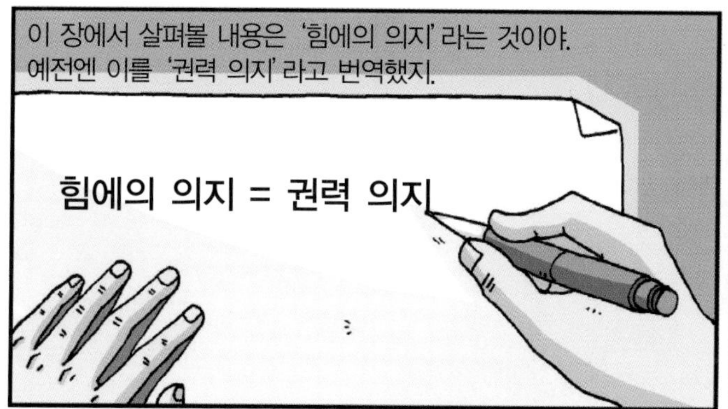

인간이 신과 같은 저 피안의 세계에 모든 의미와 가치를 부여함으로써 대지 위에서의 삶을 부정하고 혐오하게 되었다는 것이지.

야호!

부정 + 혐오

대지

그러나 서양 문명의 그러한 병폐는
아주 뿌리 깊은 역사를 가지고 있기에
힘에의 의지를 실천하기란 쉽지 않아.
서양 문명

니체는 말했어.
네가 형이상학적 이분법이라는 구조를 지니고 있어서 그래.
서양 문명

형이상학적 이분법이란 세계를
바라보는 하나의 관점이야.

세계를 일단 형이상학적으로 바라보고 이분법적으로 나누어 본다는 이야기지.
어질
어질

형이상학은 영어로
metaphysics라고 해.
physics란 형상, 물체 등을 의미하고
meta는 '~의 뒤에', '~의 너머에' 라는 뜻을 가진단다.

그러니까 '형이상학적' 이란 말은
눈에 보이고 귀에 들리는 등
감각적으로 인지되는 세계 너머에
존재한다는 의미야.

예를 들면 뉴턴은 사과가 나무에서
떨어지는 것을 보고 중력의 법칙을
발견해 내지.

우리의 눈에 보이는 현상, 즉 사과가
나무에서 떨어지는 모습을 본 뉴턴이
뭔가 있어!

그 너머에 있는 형이상학적
현상인 중력의 법칙을 알아낸
거야.
흐억.

그리고 이분법이란 무엇을
두 가지로 나누어 설명하는
방법이야.

예를 들어 우리는 흔히 인간을
영혼과 육체로 나누어 바라보지.
안녕?

이와 마찬가지로 형이상학적 이분법은
세계를 생성과 존재의 두 틀로 나누어
바라봐.
넌 거기 존재의 틀로 봐.
생성
아무것도 없는데…

이렇게 세계를 두 가지의 틀로 나누어
바라본 역사는 고대 철학자
플라톤에까지 거슬러 올라가.
나 알지?

플라톤은 불멸성에 관해 논하며, 진리는 육체적 감각에 의해서가 아니라
오직 이성에 의해서만 파악할 수 있다고 말해.
악법도 법이여.
꽥!
호오~ 내가 보이나?
헉!

이성만이 오로지 '실제로 존재하는' 것을
파악한다는 거야.
진실된 존재가 되니 어때?
좋아~.

따라서 감각이 아닌 이성으로 파악되는 것만이 실재이며
그 외에는 거짓이라는 주장이지.
거짓.
진실.

우리의 눈이 보는 것, 귀가 듣는 것, 손이 만지는 것들은 존재하는 것이 아니고,
그 너머에 있어서 오직 이성으로만 파악할 수 있는 것만이 실재한다.
상식적으로 이해가 안 가지?

플라톤의 말을 쉽게
설명하자면,
예를 들어 원의 존재에 대해 생각해 보자.
원

만약 플라톤에게 둥근 쟁반을 가지고
가서 이것이 '원이다' 라고 말하면
플라톤은 고개를 저을 거야.
원이죠?
절레
절레

왜냐하면 '원' 의 정의와 완벽하게
맞지 않으니까.
원과 비슷하지만 '원' 은 아니야.

컴퍼스로 정확하게 원을 그린다면
어떨까?
이건 원이죠?
비슷할 뿐이야.

그러면 진짜
존재하는 원은 어디
있어요?
버럭
이데아
이데아의
세계에
존재하지.

그럼 이데아는
어디에 있는데요?
서울에
있나?
이성으로만 파악할 수
있어서 보여 줄
수 없어!

여기서 주목할 점은 플라톤이 우리가
지각하고 경험하는 세계를 존재로
인정하지 않고,
삐이~
오직 이성으로 파악하는 세계만이
실제로 존재한다고 주장한다는 점이야.
진정한
세계!
왜 우리 눈에 보이는
세계를 인정하지 않을까?
도대체
왜!

우리가 감각으로 경험하는
세상은 항상 변하고,
고향이
많이
변했구나~.
빵-빵

따라서 그것을 '어떤 것'이라고 콕
집어 말할 수 없기 때문이지.
너무 많이
변해서 고향 같지 않고
낯설기만 하네.
10년 전

예를 들어 어제 만난 철수와 오늘 만난
철수는 같은 사람이 아니라는 거야.
거긴
철수 자리야.
내가
철수잖아!

왜냐하면 철수는 어제보다
조금 늙고, 키가 더 컸을 수도
있기 때문이지.

그래서 내가 오늘 이야기를 나누고 있는
철수를 실재하는 '철수'라고 말할 수 없는
모순이 발생해.
철수야,
어딨어?
휙
야!

그래서 변하는 상태에 있는
모든 것을 '생성'이라 이름
붙이고 믿을 수 없는
것으로 여겨 왔어.
생성

형제들이여, 말하라. 모든 사물 가운데서 가장 불가사의한 것이 가장 명백하게 증명되고 있지 않은가?

차라투스트라는 '저 세계'가 실재한다고 주장했던 형이상학적 이분법이 있지도 않은 것을 있는 양 우리를 속인 사기임을 폭로하고 있어.
존재를 찾으면 두우~ 배!
아무것도 없지롱~.
저기!
삐이익

그러면 형이상학적 이분법은 왜 생겨났을까?
인간이 행복을 추구하기 때문이야.
행복

니체가 말하길, 인간은 자신의 불행과 고통의 원인이 변화하는 세계라고 생각해.
헉
헉
고통스럽다.

이것이 발전해 변화와 행복을 상반되는 개념으로 여기게 되었다는 거야.
변화
행복

그 결과 형이상학적인 세계, 즉 변화 너머에 있는 참된 존재의 세계를 구상해 냈고,
변하지 않는 세계

그 세계야말로 인간의 고통에 답을 줄 수 있는 진리의 세계라고 믿게 되었어.
이를 형이상학자의 심리학이라고 불러.
진리

니체가 분석한 형이상학적 이분법의 발생 원인을 정리해 볼까?
차곡차곡
원인
원인
원인

생성, 즉 변화의 세계는 모순투성이이며 인간의 인식을 속이기도 해.

그래서 인간은 생성의 세계에서 불확실과 불안만을 가질 뿐이야.
나 괜찮을까?
응~

하지만 인간은 행복을 바라기에 생성과 반대되는 세계를 상상해 냈지.

그것을 '존재'라 칭한 인간은 자신을 그에 일치시키고자 노력해 왔어.
크로스

니체는 이런 형이상학적 이분법이 인간의 무능력 탓이라고 생각해.
거기, 무능력한 인간!

사실 형이상학적 이분법으로 세계를 바라본다고 고통이 사라지지는 않아.
존재의 세계로 가 볼까?

허상뿐인 세계와 내가 일치한다는 것은 있을 수 없는 일이니까.
어디까지 가야 되는 거야?
텅
텅

하지만 존재의 세계는 우리가 겪는 고통에 여러 가지 답을 줄 수 있어.
답!
답

플라톤과 교회, 사제들은 이렇게 말하겠지.
이데아의 세계를 아직 인식하지 못해서 그래.
계속 가!
죄를 지어서 그래.

언젠가 이데아의 세계를 경험하고 천국에 가면 고통이 없는 영원한 행복의 세계로 들어간다고 말이야.
어서 옵쇼~
천국
바로 여기야~

차라투스트라의 반론을 들어 볼까?
저편의 또 다른 세계라는 것은 고통과 무능력, 그리고 더없이 극심한 고통에 시달리는 자가 꾸며 낸 덧없는 행복의 망상이다.
도와주소서~

존재라는 것도 결국 고통을 회피하고 견디기 위해 우리의 이성이 교묘히 만들어 낸 것이기 때문에
와~!

실재하지 않으며 그 존재야말로 가상임을 폭로한 거지.
싹
싹
허상이라고.

자, 그럼 니체의
다음 작업은 무엇일까?
좀
도와줘.
작업

헛된 가상의 세계를 폭로했으니
실재하는 것을 밝혀야 하겠지.
짜 - - 잔

이는 곧 생성의 세계에 존재 가치와
의미를 부여하는 작업이야.
존재
꿈틀
의미
꿈틀

니체는 말해.
존재하는 것은
숨을 쉬는
것이다.
흡흡-

숨을 쉰다는 것은 살아간다는
것이고, 의욕을 가지고 뭔가를
하는 것이며
할 수 있다.
좀 더
그렇게 계속 변화해 감을 의미해.
나도
몸짱!
사뿐

더 나아가 존재는 변화하는 것이지, 자기동일성(변하지 않는 자기 자신)을 유지하는 것이 아니라고 말해.
변화야말로
존재에 대한
근본적
확실성이다.

차라투스트라는 니체의 생각을 이렇게
표현해. '생명체를 발견할 때마다 나는
힘에의 의지도 함께 발견했다.
호-오

오직 생명이 있는 곳, 그곳에만
의지가 있다.
흥

생명에 대한 의지가 아니라,
힘에의 의지다.'
반가워~.

니체는 존재란 변화하는 것이고,
그 이유는 그것이 살아 있기
때문이라고 말해.
기쁘다!
윽

살아 있다는 것은 끊임없이
숨을 쉬며 움직이는 것이고,
헉
헉

또 살아 있다는 것은 우리가 계속
숨을 쉬는 것처럼 무언가를 바라고,
뭔가에 힘을 작용시키는 거야.
목표

니체는 이처럼 존재란 항상 힘에의 의지를
작동시킨다고 주장해.
힘에의
의지

그렇다면
힘에의 의지는
어떻게 작동할까?

니체가 말하는 힘에의 의지란,
더 많은 힘을
얻기 원하는
항상 주인이
되고자 하는
더욱 강해지고자
하는 의지야.
지식의 힘

존재하는 모든 것은 이러한
힘에의 의지로 움직이는 동적인
상태지.

힘에의 의지가 가능하기 위해서는
반드시 한 의지에 대항하는 반대 의지가
있어야 해.

즉 힘에의 의지가 존재하려면
여럿의 힘에의 의지가 있어야
한다는 거야.
공격!
질 수
없다.

이는 뉴턴의
작용-반작용 원리와도
비슷해.

힘을 가하는 곳에는 반드시
반작용하는 또 다른 의지가 있고
작용.
반작용
바둥
바둥
또용

이러한 의지들 간의 싸움에서 승리하는 쪽이
어떤 구체적인 현상을 만들어 내는 거야.
더
강한 자는
없나?
다음엔
1등.
더
노력하자.
1
2
3

태풍이 불 때 나무는 그대로 서 있으려는 의지를 가지고,
태풍은 나무를 쓰러트리려는 의지를 가진다고 해 봐.
휘 이 이 잉

두 힘에의 의지는 더 많은 힘을 원하고, 더욱 강해지고자 하는 본성을 바탕으로 충돌하는 거야.
앞길을 막지 마라!
휘이이잉-
어디서 행패냐!

만약에 태풍의 힘에의 의지가 나무의 힘에의 의지에 이긴다면, 태풍은 나무를 쓰러트리고 말 거야.
분하다.

하지만 나무 하나가 쓰러졌다고 해서 태풍의 힘에의 의지가 감소하지는 않아.
하하하
오히려 힘이 더 솟네.

힘에의 의지가 지닌 본성 때문이지.
더 많은 힘을 원하고, 더욱 강해지고자 하기 때문이야.
하하하

그래서 태풍의 힘에의 의지는 또 다른 힘에의 의지와 충돌하려 할 거야.
너도 날려 주마.
니체 살려!

그것이 커다란 돌일 수도 있고,
휘이이잉-

전신주일 수도 있지.
휘이이잉

어쨌건 힘에의 의지들 간에 일어나는 힘겨루기는 끝나지 않아.
포기해라.
휘이이잉
계속 할 거야.

그래서 만물은 계속 변화하지.
나무가 쓰러진 자리에 새 나무가 자라듯.

여러 힘에의 의지들이 벌이는 힘겨루기가 끊임없이 계속되니까.
분명히 쓰러뜨렸는데?
휘이 이잉~
난 새 나무다!

따라서 모든 힘에의 의지도 계속 자기의 본성으로 되돌아올 수밖에 없어.
더 큰 힘에의 의지로 다시 오마.
흑
얼마든지.

힘에의 의지가 복종하는 대상은 오로지 항상 '주인이 되고자 하는, 더 많은 힘을 얻기 원하는, 더욱 강해지고자 하는' 본성뿐이야.
좀 더
강한 놈 없나?

여기서 잠깐 쇼펜하우어에 대해 살펴보자.

니체가 그의 책을 읽고 큰 영향을 받은 이야기는 이미 했지?
따-봉
쇼펜하우어

쇼펜하우어도 자신의 저서에서 '의지'에 대해 말하고 있어.
의지와 표상으로서의 세계

쇼펜하우어가 말하는 의지란 우리의 행동, 움직임 등과 같이 겉으로 드러난 것 너머에 있는 실체를 의미해.
헉 헉
할 수 있어.

쇼펜하우어의 생각에서도 우리는 형이상학적 이분법을 볼 수 있어.
겉으로 드러난 현상
해냈다
의지
실체로서 현상을 일으키는 본질적인 것

단지 다른 형이상학자들과는 다르게 그 본질적인 존재를 의지라고 설명했을 뿐이야.
이것이 의지다!
의지

니체가 말하는 힘에의 의지는 쇼펜하우어의 의지에서 영향을 받았어.
비슷하네.
영향을 받았으니까.
의지

그래서 니체도 역시 힘에의 의지만이 실체라고 주장했어.
너만이 진정한 실체다.

하지만 니체와 쇼펜하우어가 말하는 의지는 서로 달라.
뭔이
넌 달라.
의지

쇼펜하우어의 실체로서의 의지는 우리의 행동, 사물의 작용, 힘과는 독립적으로 우리의 내면에 존재해.
더 예뻐지고 싶어.
더 부자가 될 거야.

하지만 니체의 힘에의 의지는 항상 존재하는 의지를 뜻하며,
더 많은 힘을 원하는
주인이 되고자 하는
더 강하게 되고자 하는

우리의 행동, 사물의 작용과 함께 일어나는 것이야.
난 태풍의 힘에의 의지
난 나무의 힘에의 의지

니체에게 힘에의 의지란 이 세계 너머에 따로 존재하지 않아.
어이, 허상!
난 허상을 밝히고자 하는 힘에의 의지.

쇼펜하우어의 의지는 우리의 삶이 부정할 수 없는 진리이기 때문에 삶은 고통일 수밖에 없다고 설명해.
크
하

왜냐하면 의지라는 실체가 계속 우리에게 헛된 욕망을 갖게 하고
만 원짜리 복권 당첨.
또 사서 더 큰 돈에 도전해 봐.
그럴까?

결코 충족되지 않는 욕망이 계속 우리를 괴롭히기 때문이지.
조금만 더 해 봐.
꽝
꽝!
빚더미
꽝

예를 들어 여러분 역시 무엇인가에 계속 의지하면서 살아가지 않니?
공부도 잘하고 싶고
꼴찌 탈출!

예뻐지고 싶고,
머리 예쁜데 어디서 했니?
비밀이야.
비슷한데

내가 좋아하는 사람이 나를 좋아했으면 좋겠고 말이야.
내가 보고 싶어서 많이 힘들 거야.
제 정신이 아니군.

쇼펜하우어는 이러한 욕망의 원천이 인간이 태어날 때부터 지니고 있는 의지라고 주장해.
이봐!

이러한 의지는 계속 욕망을 낳고, 그때문에 우리가 힘겹게 살아간다는 거야.
더
더
1등은 너무 힘들어.

왜냐하면 사실 욕망이 충족되기란 쉽지 않거든.
A²+B²=(A+B)² -2AB
3×3=?
초등학생 맞아?
1 등
꼴찌 탈출이 목표

김태희처럼 예뻐지는 것도,
부럽다.
오~♡

빌 게이츠처럼 부자가 되는 것도 쉽지 않은데
이 돈은 어디 둘까요?
여긴 다 찼으니 다른 방에.

계속 그것을 욕망하게 되니까.
나도 김태희 처럼!!
나도 빌게이츠 처럼!!

만약 엄청난 노력을 해서 욕망을 이룬다 해도 고통은 사라지지 않아.
김태희 같지?
최연소 부자다.

왜냐하면 의지는 더 많은 것을 원하도록 명령하고 욕망은 끝이 없기 때문이야.
만족하지 마라.

김태희 역시 더 예뻐지려고 욕망할 것이고,
와~ 더 예뻐졌어.
와~

빌 게이츠 역시 더 부자가 되려고 노력할 수밖에 없어.
흥!
컥!
툭

쇼펜하우어는 이렇게 인간의 어리석음을 지적했지.
우리는 비눗방울을 계속 불면 터진다는 것을 알면서도 되도록 오랫동안 크게 비눗방울을 분다.

그러면 쇼펜하우어가 이야기하는 삶은 뭘까?
지금까지 뭘 들은 거냐?
휘이잉

의지를 아예 없애 버리면 좋겠지만,
나의 가르침과 같아.
얍

의지란 영원한 실체이고 진리이기 때문에 그것을 없애기란 불가능하며,
헉
헉

그저 끝없는 욕망이 낳는 고통 속에서 살아갈 수밖에 없다는 거야.
죽지 않아.

그 고통을 겨우겨우 견디며
살다가 죽는다는 것이지.
쯧쯧...
픽
의지

니체는 쇼펜하우어의 철학에 깊이
공감했지만, 점차 쇼펜하우어에게서
빠져나왔어.
쇼펜하우어의
철학

쇼펜하우어 역시 변형된 형이상학적
이분법으로 세계를 해석하여 삶을
부정하는 사람이라고 본 거야.
또 보자.

니체는 쇼펜하우어와는 반대로
삶을 긍정하고 싶었고,
삶은 고통
그 자체.
고통도
삶의 일부니
이겨 내야지!

형이상학적 이분법으로부터 의지를
구원하기 위해 힘에의 의지란 개념을
만들어 낸 거란다.
의지
도둑이야!

그렇게 니체는 쇼펜하우어라는
거대한 벽을 넘어선 거야.
의지
탁!
탁!
팟!

이제 니체가 힘에의
의지를 통해서
이루려 했던 작업을
이해하겠지?

정리하면, 니체는 형이상학적 이분법에 병든
서양 문명을 고치려 했어.
끊임없이 삶을
긍정하며 살아가세요.
서양
문명
아~
지끈
지끈

그리하여 초월적 세계에 치우쳤던 삶의
의미와 가치를 대지로 되돌려 놓으려고
했지.
저 세계
대지
오케이?
호오~

저편의 세계에 따로 있는 영원불변의 존재를 부정하고, 살아 숨 쉬며
항상 변화하는 것이야말로 진정한 존재라고 주장한 거야.
바로
여러분이
진정한
세계야.

그리고 변화하는 존재의 본성을
설명하며 힘에의 의지를 말하고 있어.
이봐
출연해야지.
찾지
않길래~.
버럭

니체에 따르면, 힘에의 의지란 세 가지 본성을 지니고 있어.
더 많이 원하며,
주인이 되고자 하며,
더욱 강해지고자 하지.

그리고 그러한 힘에의 의지들은 항상 지배할 대상이 필요하기에 여럿이 존재할 수밖에 없지.

힘에의 의지들 간의 끝없는 경쟁과 싸움이 우리의 삶 그 자체이며
헉
헉
헉

그것은 피해야 할 고통이 아니라 긍정해야 할 대상이라는 거야.
이겼다!
와-아
고통스럽지만 더 노력해서 승리하겠어.

니체는 끊임없이 투쟁하고, 더 많은 것을 정복하며 자기 자신을 더욱 강한 존재로 만들려고 노력하면서 살아가라고 말해.
더 강하게
더 열심히
더 아름답게
폴짝
폴짝

그것이 '힘에의 의지'의 본성에 충실한 삶이니까. 그리고 그것이야말로 가장 '고귀한 삶'이라고 니체는 주장하지.
방해돼!
고귀하도다!

니체는 그의 책에서 '고귀함이란 무엇인가'에 대해 이야기해.
선악의 저편
인간이라는 유형을 향상시키는 모든 일은
지금까지 귀족적인 사람들의 일이었다.

니체는 고귀한 인물들이 인류를 향상시키고 문화를 만들어 왔다고 말해.
일을 못 끝내면 밥도 없어.

여기서 말하는 귀족은 세습된 귀족을 뜻하지 않아.
진정한 귀족이 아니야.

니체가 말하는 귀족이란 오디세우스나 아킬레스 같은 '바실레우스'들을 의미해.

바실레우스란 그리스어로 '자기의 힘으로
집단의 우두머리가 된 사람'을 가리키지.
와아

니체는 그들의 덕이란 우리가 지금 알고 있는 도덕적인 덕과는
달리 고귀함과 탁월함을 의미하며 이는 곧 용기였다고 했어.
전쟁은 나빠요, 또한 적은 우리의 열 배라고요.
정복당하느니 싸우다 죽으리라.

그들이야말로 용기를 가지고 새로운 세계를 개척했으며, 세계를 정복하고 자신을 더욱 강한 존재로
만들었던 진정한 귀족이었다는 거지.
어쨌든 전쟁은 나빠.
제길
분하다
우리 땅을 지켜 내고 그들의 땅을 취했다.
와
아
와-아
저들의 용기가 곧 힘에의 의지다.

그러면 그러한 귀족들에게 패한 자들은 누구일까?
바로 노예들이야.
열심히 일하면 밥과 음식을 주겠다.
감사~.
휴~

그리고 니체는 이렇게 말하기도 해.
이와 같은 사회는 인간과 인간 사이의 위계나 가치 차이를 믿어 왔고, 어떤 의미에서 노예 제도를 필요로 했다.
노예제도

위의 말 때문에 니체는 많은 오해를 받았어.
계급을 옹호하고 노예 제도를 찬성하는 사람으로 말이야.
계급 옹호자!
노예 찬성자!

하지만 니체가 말하는 위계는 사회적으로 주어진
사농공상, 양반과 상민 등과 같은 위계가 아니라
이리 오너라.
어흠
예이~

귀족은 고귀한 용기를 가지고 있고, 힘에의 의지에 충실했지만 노예는 용기 즉, 힘에의 의지를 내버렸기 때문이라고 말이야.

우릴 버리더니 꼴 좋다

왜냐하면 절제는 힘에의 의지를 억제하고
절제

관용은 상대방의 힘에의 의지를 모욕하기 때문이지.
후훗.
모욕적이야!
관용

즉 서구 문명은 힘에의 의지를 충실하게 실현하던 문화에서 힘에의 의지를 억제하는 방향으로 나아간 거야.
No!
No
출입금지

자연스럽게 귀족의 덕이 아닌 노예의 덕이 칭송받게 되었지.
노예의 덕
귀족의 덕
귀족의 덕

약한 자들에 대한 동정과 연민, 그들에 대한 희생적인 사랑 같은 것은
칭송받아 마땅하다.
와~ 멋지다

힘에의 의지를 거스르는 노예의 도덕이야.
열심히 일을 해서 돈 벌어야지.
뭐 하러.

그리고 그러한 폐단을 부추긴 것이 바로 기독교라고 니체는 말했어.
악마다! 잡아라!

왜냐하면 기독교에서 가장 중시하는 덕목이 바로 '순종적인 어린 양'이거든.
양처럼 순하게~.
...

그렇다면 니체는 전쟁이나 약육강식을 찬양하는 입장일까?
아니거든

어느 정도는 맞는 말이지만 니체를 전쟁광이나 강자의 편을 드는 사람으로 오해하면 곤란해.
단순한 살인자!
쾅
쾅
쾅
쾅!

니체는 삶이 냉혹하다고 말해. 또한 어떤 문명이든지 그 시작은 전쟁과 정복, 그리고 살해로 점철되어 있음을 인정해야 한다고 말하지.
인정할 수밖에 없어! 흑.
엄마

하지만 플라톤적 기독교의 도덕은 그러한 현실을 은밀히 덮어 버리고
아름다운 것들만 말하려 해.

이는 세상을 도덕이라는 장식으로 치장하는 것에 불과하며 폭력적인 현실보다 오히려 더 나빠.

왜냐하면 도덕이라는 가면 뒤에 숨어 더욱 치밀하고 무자비한 억압과 폭력을 휘두르거든.

폭력, 정복, 착취와 같은 것들은 인간의 삶에서 피할 수 없는 요소야.
폭력·정복
휴~
착취

왜냐하면 모든 사물이 힘에의 의지를 갖기 때문이지.
주인이 되고자 하고
더 많이 원하고
더욱 강해지고자 하는.

그것은 홉스가 말한 만인에 대한 만인의 투쟁과 비슷해.
내 거야!
내 거야
내 거!

니체는 그런 투쟁이 현실이라면 비겁하게 감추기보다 용기 있게 맞서는 편이 바람직하다고 보는 거야.
꿀~
분하다

그런 사람은 그저 그렇게 살아가는 다수의 인간들과 달리 항상 새로운 시대와 문화를 만들어 내며 인류를 향상시킬 수 있어.
찬
찬
반
반대
찬성
찬
반
반

제5장 인식에 관하여

서양 근대 철학의 주된 논의는 사물에 대한 보편적인 앎을 어떻게 얻는가였어.
앎 (지식)

데카르트 같은 합리론자들은 이성이, 베이컨 같은 경험론자들은 경험이 세계에 대한 정확한 앎을 보장한다고 주장했지.
앎
경험
이성

예를 들어 합리론자들은 '삼각형'에 대한 지식을 이렇게 설명하고,
내각의 합이 180°로 이루어진 도형.
60°
=180°
60°
60°
옳소
우리의 이성이 알고 있어.

경험론자들은 이렇게 설명해.
이런 것들을 경험하고 관찰해야 삼각형 내각의 합이 180°란 걸 알 수 있지.
피라미드
유리 조각
덥다

이처럼 '어떻게 올바른 앎을 가지는가?' 에 관한 논의를 인식론이라고 불러.
?
?

인식에 대한 니체의 생각은 관점주의라고 말할 수 있어.
순순히 들어와.
쿡!
관점주의

그 전의 철학자들과는 달리 니체는 객관적이고 보편적인 지식은 없으며
왜!?

오히려 세계를 바라보는 인식자의 관점에 따라 다양한 지식이 만들어지는데,
축구공인가?
귀여운 인형?

이때 인식자에게 이익이 되는 실용적인 측면이 반영된다는 거야.
와 — 아
축구공이야.
뻥

앞에서 니체가 힘에의 의지만이 모든 존재의 유일한 본성이라고 주장했다는 것을 배웠지?
Hi

니체의 관점주의적 인식론도 바로 이러한 힘에의 의지라는 존재론에서 출발해.
와 - 아
준비
와 - 아
관점주의적 인식론

인식의 주체는 힘에의 의지를 본성으로 하는 존재로서,
더 많은 힘을 원하고
주인이 되고자 하는
더 강해지고자 하는 의지.
알지?

힘에의 의지에 따라 특정한 관점을 가지지.
축구공으로 사용해도 돼.
또?

따라서 인식에 있어 힘에의 의지는 곧 관점을 설정하는 힘으로 작용해.
이제부터 축구공이야.
뻥!

즉 인식은 힘에의 의지의 규제를 받으면서 일어날 테고,
인형
너에겐 인형이 될 수 있어.
정말?

인식 주체의 힘과 삶을 '상승' 시키고 '강화' 하려는 목적에 따라 사물이나 사태를 판단할 거란 말씀이야.
내 축구공 돌려줘!
무슨 소리~ 이건 인형이라고.

니체는 이러한 인식을 해석이라고 불러.
인식
해석

해석은 항상 관점과 목적을 가지고 사물을 이해하므로 주관적일 수밖에 없지.
이건 축구공이야!
아냐! 인형이야!

니체는 '해석' 이라는 개념을 통해 수많은 철학자들이 믿었던 객관적인 지식과 앎을 부정했어.
내 책!
요것도 불가능하고~.
휙
합리론

잠깐 해석의 예를 들어 볼까? 사과나무에 사과가 달려 있다고 해 보자.

여러분이 화가라면 화폭에 어떻게 표현할까를 생각하면서 그 사과를 바라볼 거야.
음…

그러니 사과의 모양과 빛깔 같은 것을 중시하겠지.
저게 좋겠다.

만약 식물학자가 그 사과를 바라본다면 어떨까?
뭔가 오해가…
난 레옹.

사과의 생장, 사과와 나무와의 관계, 주변 환경과 기후와의 관계 등을 살피겠지.
사과가 자라기 좋은 환경이군.
지금 무슨 생각을 하는 거냐!

과일 상인이라면 이런 걸 살피겠지.
언제 수확을 할까? 값은 얼마를 받으면 적당할까?

이렇듯 하나의 사과는 그것을 인식하는 사람들의 상황과 처지 그리고 관점에 따라서 각각 다르게 인식돼.
달라~.

그렇다면 보편적인 사과란 존재하지 않는다고 봐야 해.
난 보편적이지 않아.

해석이란, 무언가를 해석하는 주체가 능동적으로 평가하는 행위란다.
축구공.
인형.

평가한다는 것은 어떤 목적을 가지고 대상에서 특정한 성질을 추려 내고, 자신의 마음에 드는 것을 취하고, 받아들이는 작업이야.
나에겐 의자를 만드는 재료.
나에겐 불을 지필 땔감.

그래서 니체의 해석은 '이것은 무엇인가?' 라는 물음이 아니라 이런 형식이지.
이것은 '나에게' 무엇인가?
또 뭐가 될까?

즉 해석이란 그 대상 안에 있는 어떤 것을 발견하는 행위가 아니라,
뭐라고 정하면 좋을까?

그 대상에 적극적으로 의미와 가치를 부여하는 작업이라고 볼 수 있어.
찾았다, 축구공!
뻥
해석은 반드시 틀릴 수밖에 없어!

해석은 반드시 틀릴 수밖에 없다고?
우리가 제대로 알 수 있는 것은 없다는 말?
좀 의아하지?
철학자가 그런 말을 하다니!
이해하지 못했군.

니체의 말을 좀 더 들어 보도록 하자. 니체는 모든 존재가 생성이라는 변화 상태에 있다고 설명했지.
존재
생성
(변화상태)

그런데 우리가 어떤 대상을 해석하려면 변화하고 있는 대상에 일정한 형식과 형태를 부여하고, 한정시키고,

다른 것과 비교도 하고, 범주화할 수밖에 없어.
이것은 축구공.
이것은 축구공 모양의 어떤 것.

어떤 사물을 인식하고 해석하는 과정에서
사각뿔이네.

그 사물의 다른 측면은 부정하고 무시하게 된다는 거야.
난 피라미드이면서 무덤일 수도 있어.

예를 들어 어제 내가 봤던 사과와 오늘 내가 보는 사과는 똑같은 사과가 아니고,
어제 그 사과가 아니라고?
절레 절레
아니야.

화가는 과일 상인이 보는 사과의 상품적 가치에 대해선 전혀 해석해 내지 못하잖아.
설명해 보시오.

하지만 화가는 그것을 같은 사과라고 인식해야만 다음 날에도 그림을 계속 그릴 수 있겠지.
무조건 맞아!
난 어제 그 사과가 아니라고!

또 과일 상인에게 자신이 본 사과의 모습이 진정한 사과의 본질이라고 주장할 수도 있고 말이야.
본질.
흥!

화가는 사과를 해석함으로써 그렇게 오류를 범할 수밖에 없어.
쾅
오류

어제 내가 그린 사과를 여전히 오늘도 그리고 있다고 말할 수밖에 없고,
어제 그 사과가 확실해.
사과의 또 다른 측면인 상품적 가치는 무시해 버릴 수밖에 없다는 거야.
좋은 값을 받겠군.

그래서 니체는 해석이 필연적으로 오류를 낳는다고 말했어.
오류
해
석

사실 이런 생각은 전통적인 인식론과 크게 다르지 않아.

플라톤에서부터 칸트에 이르기까지 끊임없이 제기해 온 인식의 한계가 바로 그것이니까.

커다란 차이가 있다면 그동안의 철학자들은 그러한 한계를 부정적인 것으로 파악하고

어딘가에 변하지 않는 실체가 존재한다고 생각했던 반면에,

니체는 해석의 필연적 오류를 과감하게 받아들였다는 점이야.

니체는 해석이 갖는 필연적인 오류를 오히려 긍정적으로 여겨.

왜냐하면 그것은 어떤 의미에서는 적극적이고 능동적인 창조 활동이기 때문이지.

차라투스트라는 이렇게 말해.

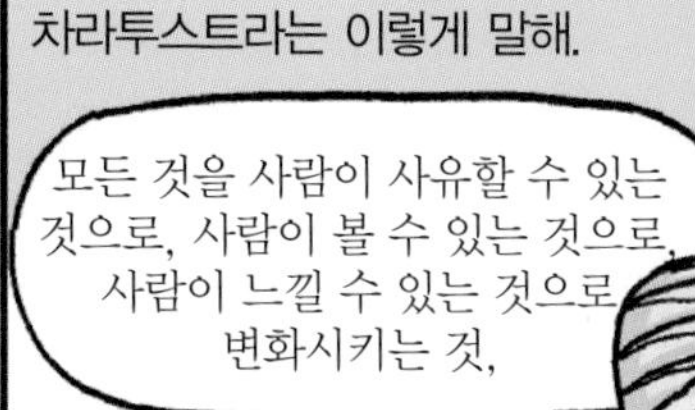

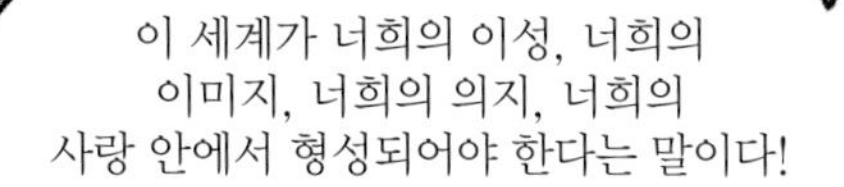

해석이 오류인 이유는, 해석이 해석자의 목적과 의지에 따라 세계를 변형하는 행위이기 때문이야.
내 목적에 따라
내 의지대로

이는 세계를 창조하는 행위와 다를 바 없어.
창조.

차라투스트라는 그러한 진리를 향한 의지를 힘에의 의지로 삼을 것을 요구하고 있어.

세계를 해석하되, 그 해석을 통해 행복을 누려야 한다는 것이지.
축구공이네.
멋지다. 같이 놀자.

너희는 창조하는 자가 되어야 한다.

'신체는 앎을 통하여 자기 자신을 정화하고 앎에 힘입어 자기 자신을 고양시킨다.
정 화

사물의 이치를 터득한 자에게는 모든 충동이 신성하며 고양된 자의 영혼은 기쁨을 맛보게 된다.'
범상치 않아 보여.
기뻐 보여.
하하
이치를 터득했다.

차라투스트라는 사물을 해석하는 과정에서 이론적인 욕구나 절대적이고 객관적인 진리의 추구 혹은 도덕적인 의무감을 가질 것이 아니라,
옥신각신

그 해석된 지식을 통해 자기 자신을 어떻게 고양시킬 것이며
이번엔 농구공이다.

자신의 힘을 어떻게 더 강화할 것이며,
덩크슛!
멋지다

어떻게 더 많은 것을 지배하는 주인이 될지 생각하라고 말하고 있어.
배구도 할 수 있니?
물론.

그러나 지쳐 있는 자는 다만 '의욕의 대상이 될' 뿐이다. 온갖 파도가 이러한 자를 노리개로 삼아 희롱한다.

하하하

항복

자, 차라투스트라의 말을 이해하겠니?
공부에 대한 여러분의 인식을 한번 돌아봐.
공부

세계를 보는 커다란 눈을 갖기 위해서, 더욱 커다란 힘을 지니기 위해서 공부를 하고 있니?

공부를 즐거운 놀이처럼 즐기며 하고 있는지도 생각해 봐.
나랑
놀공부!
저요!!
저요
즐거운 수학
즐거운 과학
즐거운 국어

차라투스트라는 여러분이 즐겁게 공부하기를 진정으로 바랄 거야.
그렇지!!
과학 당첨!

니체는 해석이란 인간의 자유로운 창조 행위여야 한다고 말해.
자유롭게~.

그렇다면 이때 가장 큰 걸림돌은 뭘까?
기존의 해석에 안주하는 자신이 아닐까?
편해

다시 화가의 예로 돌아가 보자.
?

화가가 사과를 작품의 대상으로 파악하여 멋진 예술 작품을 창조했다고 하자.
됐다!

만약 그 화가가 자신의 그림에 만족한다면 더 이상 창조 행위를 하지 않을 거야.
이제 그만~
사과

그렇다면 그 화가는 예술가로서 힘에의 의지에 더 이상 충실하지 않은 셈이지.
편하다.
이어서 개그콘서트
하
아삭 아삭

사실 화가는 안주하는 것이 편하고 좋을 거야.
하하
훅

자신의 작품은 이미 인정받았으니까.
와~
우쭐

그러한 평가에 만족하며 지내면 아무 문제도 없겠지.
소감은?
더 이상 바랄 게 없습니다.
와
상

저것은 진정한 삶의 태도가 아니야.

사람들의 평가가 어떻든 이 화가는 니체에게 더 이상 예술가가 아니야.
도둑이야
만족하면 안 돼!
후다닥

위대한 예술가는 이미 죽은 것이나 다름없지.
내가 죽다니!
명복을
화가 잠들다

힘에의 의지가 한 번 작용하고 나면 다시 본성으로 돌아와 더 많은 힘을 원하듯이,
탁

진리를 향한 의지도 다시 자신에게 돌아와 기존의 해석된 지식에 불만족하고
새로운 게 없을까?

또다시 해석해야 해.
뚝딱
뚝딱

그래야 또 다른 창조 행위가 발생하니까.
얍
깡
따라서 해석자는 기존의 해석을 끊임없이 극복하고 새롭게 창조해야 해.

즉 예전에 그렸던 자신의 그림을 보고 만족스러워하지 않아야 해.
역시 만족스럽지 못해!

예전 그림을 통해 한층 더 높은 예술관을 갖게 되었다면 이미 그 그림은 불충분한 예술적 가치를 지닐 테니까 오늘날 또 다른 해석을 통해 새로운 사과 그림을 그려야 하겠지.
이번에는 이렇게 그려 보자.

이렇듯 해석은 해석자의 끊임없는 자기 극복의 의지가 존재하는 한 끝없이 이어지는 과정이고,

해석자에게 사물은 무수한 해석의 가능성을 품고 있는 무한한 세계야.

짜잔

바글 바글

우리에게 열려 있는 창조의 지평도 그만큼 무한하지.

자, 그렇다면 니체의 관점주의에 대해 다시 한번 정리해 보도록 하자.

니체는 우리에게 절대적이고 보편적인 지식은 불가능하다고 말했지.

그리고 우리가 가질 수 있는 지식이란 관점적일 수밖에 없다고 했어.

니체는 왜 우리의 인식이 관점주의적일 수밖에 없다고 했을까?

세계는 힘에의 의지들 간의 갈등과 충돌로 이루어져 있는데, 해석은 항상 그 힘에의 의지를 따를 수밖에 없기 때문이라고.

그리고 인식은 힘에의 의지가 명령하는 대로 특정한 목적과 관심을 가지고 수행된다고 했어.

화가, 식물학자, 과일 상인의 사과를 바라보는 관점이 다르듯이 말이야.

그렇게 관점을 가지고 인식하는 것을 니체는 해석이라 불렀지.

또한 하나의 해석을 낳은 관점을 초월하는 절대적이고 보편적인 해석과 관점은 존재하지 않는다고 했어.

사라졌다!

불가능 니체

니체는 절대적 진리를 찾으려고 노력했던 철학자들이 헛수고를 했다고 말해.
헛수고라고!
기운 내~.
벌컥

하지만 니체가 이 철학자들과 공유했던 생각이 있어.
니체
공유
철학자

인간의 해석이 관점에 의존할 수밖에 없다면, 즉 주관적일 수밖에 없다면 해석은 필연적으로 오류를 갖는다는 것이지.
오류
삐삐삑

플라톤은 그러한 지식을 억견이라 불렀고,
근거가 있어! 근거가!

데카르트는 그와 같은 주관적인 해석은 참된 지식이 아니므로 모두 의심해 보아야 한댔지.
왠지 의심스러워.

데카르트의 그러한 의심을 방법론적 회의라고 해.
꺼억
방법론적 회의

하지만 니체가 플라톤이나 데카르트와 다른 점은 그러한 오류를 긍정했다는 것이야.
통과

어차피 우리에게 해석을 명령하는 것은 힘에의 의지이고,
뭐든 될 수 있어.
가지고 놀아 봐.
와~
와~

지식은 삶의 수단, 삶이 가지고 노는 장난감에 불과하다고 했지.
호오~
재밌다.
지식
토닥
토닥

해석은 삶이 벌이는 유희와 같아. 더 큰 행복과 유용함을 위한 놀이라는 의미야.
완성!
와!

또 하나, 니체는 해석 행위가 쉼이 없다고 했어.
해석 행위

끊임없이 기존의 해석을 부수고 새로운 해석을 수행해야 한다는 거야.
계
속....

만약 기존의 해석에 안주한다면
더 이상 힘에의 의지에 충실하지 못한
것이며,
이제
됐겠지?
사과

그저 죽어 있는 상태에 불과해.
사과

힘에의 의지는 본성상 더 큰 힘을
원하고
더
큰 걸로!
큰 사발

따라서 해석 행위 역시 끝없이 이루어져야
하는 거야.
역시
한 번 더!

삶에 봉사하기 위해서 말이지.
저기
한 트럭 더
있네~.
열심히
사셨네요.
삶
나이 든 화가~~

그러한 해석이 곧
창조 행위라고 했어.
해석
행위
창조
행위
짜-안

끝없이 자기를 극복하면서 자기 자신을
창조하고 세계를 창조해 가는 것이지.
헉헉
창조
"세 계"

그렇다면 니체의 이러한
관점주의는 어떤 의미를
지닐까?

니체를 읽었다면 항상 다음과 같은
질문을 던져야 해.
이것이 우리 삶에 주는
의미와 가치는 무엇인가요?
왜지?

가장 중요한 것은 우리의 삶이야.
삶

우리의 삶과 연결되지 않는
의미와 가치는 쓸모가 없어.
고물
삽니다.
삶
의미
가치

니체의 관점주의는 결국 인간 존재와
인간의 삶을 긍정하는 데 아주 유용한
도구인 셈이지.
즐겁게~
미래를
위해서
하하~
공부
공부

앞에서 우리는 니체가 인간과 인간의 삶을 긍정하기 위해 힘에의 의지란 개념을 만들어 낸 것을 보았지?
긍정의 힘.

관점주의 역시 결국에는 그런 역할을 해.
부탁해
관점주의

니체의 관점주의는 우선 다양한 주관적 인식을 인정해.
모두
인정.
탕탕
와
와

결국 지식은 상대적일 수밖에 없다는 거야.
각자의 목적이 다르니까.

니체는 지식의 상대성이 우리 존재의 특성인 힘에의 의지에서 비롯된다고 설명해.

즉 지식이 우리의 존재보다 앞서는 것이 아니라 존재가 지식에 앞선다는 거야.
내가 먼저야.
헉헉
공중전화

니체는 그렇게 지식에서 존재를 구원해 냈어.
당장 풀어 줘!

니체는 그동안 절대적이고 객관적인 지식 아래 인간의 삶이 종속되어 왔음을 비판해.

그래서 자신이 살았던 시대에 절대적인 가치가 되어 버린 과학과 과학자들을 신랄하게 비판했지.
말도 안 돼.
휙휙

니체는 다음과 같이 말했어.
오늘날의 과학이 가능하다는 사실은 삶을 보호하는 기본적인 본능이 제 구실을 하지 못하고 있다는 증거이다.
웅성
웅성

과학자들은 과학이라는 절대적인 기준을 정하고 거기에 인간의 삶을 종속시키려 했어.
선착순.
과학자가 인정한 변비약!
쾌변
여기
여기
여기

그것은 지금 우리가 살고 있는 현대에도 마찬가지 아닐까?

그러면 전문가들은 각종 이론을 들먹이며 아이의 심리 상태를 분석할 거야.

어디 보자

심리

교육은 많은 사람들에게 객관적이고 보편적인 지식을 전달하려는 목적을 지니고 있지.

시간이 흐를수록 객관적이고 보편적인 지식은 계속 쌓일 것이고, 사람들은 어마어마한 양의 지식을 받아들여야 할 거야.

인간은 수많은 지식을 머리에 입력하느라 눈코 뜰 새 없이 바쁠 테고,

더 이상 자신의 삶을 되돌아볼 시간도 없겠지.

그렇게 교육은 성실하고 순한 양들만을 무한히 만들어 낼 뿐이야.

지금 우리 사회에서 교육에 대한 문제점으로 지적하는 것이 바로 창의성의 부재잖아?

하지만 쉽게 고쳐지지 않지.

사람들은 여전히 예전부터 행해 온 교육의 틀에 갇혀 있고,

현재 우리의 교육은 다양한 개성을 무시하고 획일화하는 체계를 버리지 못하고 있지.

과연 창의성을 주입할 수 있을까? 니체는 아마 코웃음을 칠 거야.

우리 시대와 문화도 니체의
눈에는 여전히 엉망진창이라
엉터리!
현대

또 다른 차라투스트라를 내려보내야
할 판이라 생각하겠지.
어때?
심각하군.
현대

여전히 우리의 삶은 주체적이지
못하고 우리의 문화는 새로운 것을
창조하지 못하고 있어.
계속
제자리
걸음이네.

옛것의 소중함에 대해서만 역설하며 옛것을 익혀야
한다고 말하지.
옛것이 최고다

하지만 니체는 과감하게 말할 거야.
옛날의 해석들은
지금 나에게 아무런
의미도 가치도 없다!
뭣이!
콕
우당탕탕

또 지난 해석은 전혀 새롭지
못하다고 말이야.
졌다!
훗

정해진 진리란 없어.
우라얍!
진
리
빡

니체가 여러분에게 알아야
한다고 주장한 유일한 진리는
바로 그거야.
옳거니!

모든 해석은 특정한 관점에 따라 나온
특정한 해석일 뿐이야.
나의
해석.
나의
해석.

어른들이 말하는 진리도 바로
그런 해석 중 하나일 뿐이지.
180°

절대적 진리는 없어.
심지어 수백 년 전의 지식이
아주 예전
현재

시시각각 변화해 온 세계와 그 세계 속에서 함께 변화한 나에게 무슨 의미를 갖겠어?
세계
세계
세계
변
화

모두 새로운 해석이 필요한 대상일 뿐이야.
재해석

중요한 것은 나 역시 그러한 관점을 지니고 적극적으로 세계를 해석해 나가야 한다는 점이야.
흐음

니체가 관점주의를 통해서 진정으로 하고 싶은 말은 바로 이것이야.
적극적이고 새로운 해석.
아~
O.K

그것이 나의 존재를, 그리고 나의 삶을 사랑하는 태도야.

나에 대한, 나의 삶에 대한 사랑은 지칠 줄 모르고 계속되어야 해.
포기하지 마!
헉헉

세계에 대한 해석도 마찬가지로 끝없이 계속되어야 해. 정해진 진리 따윈 없으니까.
세계는 무한한 의미와 가치의 가능성이 모여 있는 곳이야.
어디가 좋을까?
새로운 의미
으샤!
설레고 흥분되지 않니?
무한한 세계와 내 존재의 가능성을 생각하면 말이야~.
하하하

제6장 신체는 커다란 이성

슈렉은 외모는 못생겼지만 선량한 영혼을 가지고 있어.
캬
오!
멈칫!
정의로워.

아름다운 피오나 공주는 슈렉의 마음 때문에 슈렉을 사랑하게 되고, 슈렉 역시 공주가 흉한 모습으로 바뀐 뒤에도 공주를 사랑해.
한마디로 신체보다는 마음이 중요하다는 말씀.

오랜 세월 동안 신체는 별로 좋은 대접을 받지 못했어.
콕

인간은 신체 대신 정신과 영혼만을 찬미하며
짜-안-

식욕이나 성욕 같은 몸의 욕망은 저급한 것으로 취급했단다.
인간의 정신을 흐리고 진정한 자아의 성취를 방해하는 추악한 자들이다.
체포해!
옙
단속
출동

우리나라의 선비들도 욕망을 억누른 채 학문에만 정진하는 것을 목표로 하였고,
필승
장원 급제
학문

승려들 역시 육식도, 결혼도 포기하며 몸의 욕망을 넘어서려고 했어.

서양도 마찬가지였어.

중세의 교회는 성적인 욕망을 죄악시하여 매주 사람들에게 성적인 욕망을 회개하도록 강요했단다.
친구의 친구를 사랑했네~.
죄악이도다!
주여!

우리나라의 선비들, 불교의 승려들, 기독교의 성직자들은 모두 그렇게 신체를 경멸했어.
흑!

니체는 인간을 정신 · 이성 대 신체로 나누는 것이 커다란 착각이라고 비판해.
정신
신체

신체의 일부인 정신과 이성을 (신체보다) 더 중요하고 가치 있게 생각하니 말이야.
정신
이성
넓다, 넓어!
신체
허황된 신체 경멸자들의 논리야!

신체를 경멸하는 자들의 생각을 실천하려면
죄악과 거짓으로 물든 신체를 벗어날 방법은 무엇인가?

오로지 신체를 벗어나 죽는 길밖에는 없지.
유서
1910

즉 그들의 생각을 실천하는 유일한 방법은 입을 다물고 죽는 거야.
유서
유서
유서

하지만 그들은 여전히 살아 숨 쉬며 입으로 열렬히 자신들의 생각을 주장해.
죽음뿐!
산 입으로 죽음을 강요치 마라!

그렇다면 이렇게 반문해 봐.
그렇게 고귀한 영혼에 대한 찬미를 입과 몸짓을 통하지 않고 표현할 방법이 있나요?
왜 영혼에 대한 찬미에 추악한 신체를 사용하는 거예요?

그러면 그들은 신체를 경멸하는 말을 쉽게 하지 못할 거야.
답답해!
말 좀 하세요!

신체를 경멸하는 자들은 그동안 인류의 역사를 지배해 왔어.

그럼 서구 역사상 가장 큰 영향을 미친 신체 경멸자들 세 명을 살펴보자.

여기서 신의 숨결은 곧 영혼을 상징하고, 숨결이 없는 몸은 그저 흙덩어리에 지나지 않아.

움직인다.

흙덩어리

*프로테스탄트 – 16세기 종교 개혁 뒤에 로마 가톨릭에서 떨어져 나와 만들어진 종교 단체.

불교 역시 신체와 욕망을 경멸하고 벗어나려 했으나 신체를 선과 악의 틀로 간주하지는 않았어.

부처는 오히려 안식과 선한 기분을 강조하기도 했단다.

불교도들은 정신적인 해탈 못지않게 신체의 건강과 위생을 중시하지.

반대로 기독교도들은 오로지 영혼만을 중시했고 그 결과 신체를 증오하고 죄악시했어.

넌 됐어!

훌쩍-

니체는 기독교도들의 신체에 대한 증오의 예로 카타콤을 들었어.

'카타콤을 떠올려 보자. 은밀하고 어두운, 기독교적인 방이다. 여기서는 신체를 업신여기고 위생조차 신체를 위한 것이라는 이유로 배격된다.'

'교회는 청결을 거부하기조차 한다.'

'무어인*들을 추방한 후 기독교도들이 첫 번째로 한 일도 공중 목욕탕을 폐쇄한 것이었다.'

'당시 코르도바에만 270여 개가 있었던 목욕탕을 모두 폐쇄했던 것이다.'

*무어인 – 이슬람교도를 이르는 말.

'나는 전적으로 신체일 뿐, 그 밖의 아무것도 아니며, 영혼이란 것도 신체 속에 있는 그 어떤 것에 붙인 말에 불과하다. 신체는 커다란 이성이다. 형제여, 네가 정신이라고 부르는 그 작은 이성, 그것 또한 너의 신체의 도구, 이를테면 너의 커다란 이성의 작은 도구이자 놀잇감에 불과하다.'

차라투스트라는 신체야말로 우리의 존재라고 말하고 있어.
내 생각도 같아. 인간은 곧 신체일 뿐이야.

그렇다면 이성이나 정신은?
신체의 일부분일 뿐이네요!
맞아

차라투스트라는 신체를 '커다란 이성', 우리가 이성·정신이라고 부르는 것을 '작은 이성'이라고 불렀어.
오케이?

작은 이성은 커다란 이성인 신체에 속하는 것이지 따로 이성 혹은 정신이라고 구분할 수 있는 요소가 아니야.
신체
모두 하나의 신체야.

우리의 신체는 신체 경멸자들이 바라보았던 고깃덩어리가 아니라

정신과 육체적 신체를 모두 포괄하는 커다란 제3의 어떤 것이라는 얘기지.

커다란 이성 역시 신체 경멸자들이 말하는 순수한 이성, 정신을 의미하는 것이 아니라
어딘가에 순수한 이성이 있겠지!
틀렸어!
"커다란" 이성

우리의 신체 및 신체의 욕망과 분리되지 않고 작용하는 커다란 이성을 의미해.
안 되네-
카칵
흥-
"커다란" 이성

조금 복잡한 것 같으니 예를 들어 볼게.
만약 여러분이 아주 어려운 수학 문제를 푼다고 가정하자.
수학

여러분은 그 문제를 분석하고 그에 적합한 수학의 원리와 공식들을 떠올리겠지.
?
음..

그리고 원리와 공식에 맞추어 수식을 만들고 숫자를 대입해 문제를 풀어 나갈 거야.
x + 2(x+500)=13000
x + 2x + 1000=13000
3x=12000

이때 여러분은 순수하게
정신적이고 이성적인
활동만을 할까?
그건
아니지!
댕

문제를 풀면서 낑낑대며 애쓰고,
잘 풀리지 않아서 땀이 나기도 할 거야.
으-악!

처음엔 문제에 집중하기 위해서
숨을 죽일 것이고
저기….
쉿-!

그러다 잘 안 되면 짜증도 나겠지.
짜증나

문제가 풀리면 안심이 되면서
뿌듯한 마음도 들 것이고,
정 답
4000원
4500원

좀 더 감정 표현이 자유분방한
사람이라면 환호성도 지르겠지.
풀었다!
야호!

또한 신체적인 감정 외에
의지도 개입되어 있어.
하하하
호호
감정
의지

여러분에겐 수학 공부를 하는
여러 가지 이유가 있을 거야.
시험 점수를
잘 받기 위해.
수학이
좋아서.
수학

수학을 공부한다는 것은 곧 여러분이
가진 어떤 의지를 작용시키는 것을
의미해.
의지
콕

의지가 없다면 수학 공부라는 행위가 발생하지도
않을 거고 그렇다면 당연히 수학 문제를 풀 때
일어나는 정신적인 활동도, 그에 따른 감정과
정서도 일어나지 않겠지.
의지가
없으니
놀고만
싶지.
공부
수학

이렇게 순수하게 이성만을 사용하는 것처럼 보이는
수학 공부에도 사실은 수많은 신체적 감정과 의지가
함께한다는 것을 알겠지?
신체적 감정과
의지가 반드시
개입된다는 것,
알겠지?
수학
공부
수학
꺽

데카르트도 마찬가지
아니었을까?
또
만나는군!

그는 육체와 분리된 순수한 사유를
하려고 시도했고,
크헉

그러한 사유의 과정에서 '나는 생각한다,
고로 존재한다.' 라는 명제를 생각해 냈지.

그 순간 데카르트는 기쁘지
않았을까?
당연하지!
앗싸!

또한 데카르트가 그렇게 열심히 사유한 것도
'확실한 앎을 어떻게 얻을 수 있을까?' 라는
문제 의식을 가졌기 때문일 거야.
탕!
출발
문제 의식
사유

여기엔 '진리' 를 찾고자
하는 그의 의지와 욕망이
작용했다고 봐야겠지.
의지
욕망

따라서 데카르트의
이런 말에 니체는
또 이렇게 답하겠지.

우리의 지성은
순수한 이성만을
사용해야 한다.
흥-!
어디 한번
해 보시지?

여러분도 시도해 봐.
신체적인 작용 없이, 그리고
의지가 전혀 작용하지 않는
순수한 사유가 가능할까?
멍~

이제 니체가 말하는 신체,
커다란 이성이란 데카르트가
말하는 이분법을 넘어서서
으샤
이 분 법

이성, 신체, 의지가 모두 함께
작용하는 통합적인 신체를
뜻한다는 것을 이해하겠지?
이성
신체
의지

니체가 말한 신체에서 뭐 생각나는 것
없니?
힘에의 의지나
인식에 대한 니체의 생각이
떠오르지 않아?
짜잔~
힘에의 의지

앞에서 우린 모든 존재가 힘에의 의지를 따른다는 니체의 사상을 살펴보았어.
같이 가!

또한 힘에의 의지는 우리가 항상 어떠한 관점에서 해석하게 한다는 것도 이해했지.

그렇다면 신체에 대해 다시 생각해 보자.
우리 존재는 곧 '신체' 이다.

신체는 고깃덩어리로서의 육체를 의미하는 것이 아니라 이성, 육체, 의지를 모두 포함하는 통일체라고 했어.
진정해.
이성
육체
의지

그렇다면 여기서 의지란 곧 힘에의 의지와 연결되겠지?
모든 존재에서 힘에의 의지를 발견할 수 있으니까.
"의지"
"힘에의 의지"

우리의 신체 역시 힘에의 의지라는 원리에 종속되어 있어.
분부를 내려 주세요.

또 무엇을 단순히 인식하는 것이 아니라 힘에의 의지에 따라 해석하지.
인식 아니죠.
?
해석 맞습니다.

그렇게 해석할 때 우리가 사용하는 능력이 바로 이성일 거야.
이성
이성

해석에는 항상 특정한 관점이 바탕이 돼.
우리 둘의 관점이 비슷했어.
공!
그러게.

왜냐하면 모든 존재는 힘에의 의지의 원리에 따라 움직이고 힘에의 의지는 더 강해지고자 하고, 주인이 되고자 하기 때문이야.
더 많이 얻길 원하고
주인이 되고자 하고
더 강해지고자 하는!
난 축구할래!

힘에의 의지는 항상 목적을 가지며, 그에 따라 하나의 관점을 가지고 사물을 해석해.

다시 말해 무엇을 해석할 때마다 우리는 이성을 사용할 수밖에 없지만

해석에는 항상 특정한 목적과 의지에 따라 설정된 관점이 앞서기에 이성은 관점의 영향을 받을 수밖에 없다는 거야.

그래서 니체는 힘에의 의지가 작용하는 우리의 신체를 커다란 이성이라고 불러.

신체는 자신의 목적에 맞는 관점을 설정하고 이성이라고 부르는 작은 이성에게 그 관점에 따라 해석하도록 명령하는 좀 더 커다란 이성이기 때문이지.

또 니체는 존재가 변화한다고 말했어.

니체가 말하는 신체 역시 힘에의 의지가 작용하면서 항상 변화해.

힘에의 의지는 항상 여럿일 수밖에 없다던 니체의 말 기억나?

우리의 신체는 여러 힘에의 의지들이 힘을 겨루고 투쟁하는 싸움터야.

힘에의 의지만이 신체를 지배하는 것이 아니라

여러 힘에의 의지들이 신체라는 하나의 터 안에서 서로 경쟁하고 있는 것이지.

그래서 우리의 신체는 계속
변화하고 만들어져 가.
변화
생성

여러분 안에서도 수많은 힘에의
의지들이 서로 충돌하고 있지 않니?
겉으로만
휴전.

피카소 같은 위대한 화가가 되고
싶기도 하고, 박지성 같은 축구 선수가
되고 싶기도 하지.
13

산책을 하며 고요하게 생각에 잠기고 싶기도 하고,
거친 파도가 치는 바다 앞에서 힘껏 소리를 지르고
싶기도 할 거야.
으 — 악!
음

그런 수많은 의지와 정서가 매순간 우리의 신체
안에서 서로 힘을 겨루고 싸우면서 신체의 주인이
되려고 해.
이얍~
받아랏!

그래서 차라투스트라는 이렇게 말해.
'보라. 너의 덕 하나하나가 최고의 자리에 오르기 위해 얼마나 열심인지를. 그들은
너의 정신을 그들의 전령으로 삼을 생각에서 너의 정신 전부를 원한다. 그들은 분노와
증오 그리고 사랑에 있어서도 너의 힘 전부를 원한다.'
분노
정신
증오
사랑

우리의 신체는
하나의 의미를 지닌
다양성이자
전쟁이고 평화야.

치열하게 경쟁하고 싸우다가
갈등이 조정되고 일시적인
평화를 찾을 때
평화~.
공부
졌다
졌어
게임
축구

우리의 신체는 하나의 '자아'를 가지게
되는 거야. 그 자아는 특정한
힘에의 의지가 승리한 결과이겠지.
그래, 시험
공부하자.
오케이
공부

하지만 하나의 자아가 계속
유지되지는 않아.
축구하고
싶다.
결투다.
축구
공부

또 다른 힘에의 의지들이 우리의 신체 안에서 최고의 자리를 차지하려고 호시탐탐 기회를 노리고 있지.
공부

만약 또 다른 힘에의 의지가 승리하면 또 다른 자아가 형성될 거야.
공부
게임

예로 니체의 삶 역시 그랬잖아?
처음엔 경건한 목사 집안에 태어나 어머니의 뜻대로 신학을 공부하려 했지.
신학
하지만 점차 신학에 회의를 품어 문헌학자가 되었고
천재
!
신학
문헌
다시 문헌학과 결별하고 철학자가 되었어.
배신자
철학

쇼펜하우어와 바그너에게 매료됐으나 그들을 극복한 뒤 결국 자신만의 사상을 형성했지.
짜증 제대로다!
"힘에의 의지"
니체는 이렇게 자신의 삶 내내 또 다른 자아를 형성하며 변화해 갔지.
그러니 정해진 자아란 없다고 봐야 해.
사람들은 고정된 자아가 있어서 그 자아가 행위를 일으킨다고 생각하는데, 이는 착각이라는 거야.
착각!

즉 어떤 행동 뒤에 그것을 일으킨 원인으로서의 행위자가 존재한다는 생각은 잘못이라는 거지.
넌 이쪽!
넌 저쪽!
오케이!
알았어.

이해하기 쉽게 번개를 예로 들어 보자.

번개는 기상 현상 중 하나로, 대기가 불안정해지면 발생하는 번쩍임을 뜻해.

즉 하늘에서 번쩍이는 현상인데,
우리는 이를 '번개가 친다' 라고
표현하지.
번개
친다!

그 말에 담긴 우리의
사고를 분석해 보면
분 석

우리는 하늘에서 번쩍인 것과는 별개인
어떤 것을 정하여 그것을 번개라고
생각하는 거야.
하늘에서
번쩍이다
번개
100%

그래서 하늘에서 번쩍인 현상을
'번개가 하늘을 친 것' 으로 오해하지.
번개
친다!
번쩍이는 거야!

니체는 이런 오해가 우리의
언어 습관 때문에 생겼다고
생각해.
언어
습관

우리의 언어는 항상 주어 + 술어의
형식을 이뤄.
나는 + 공부했다
(주어) (술어)

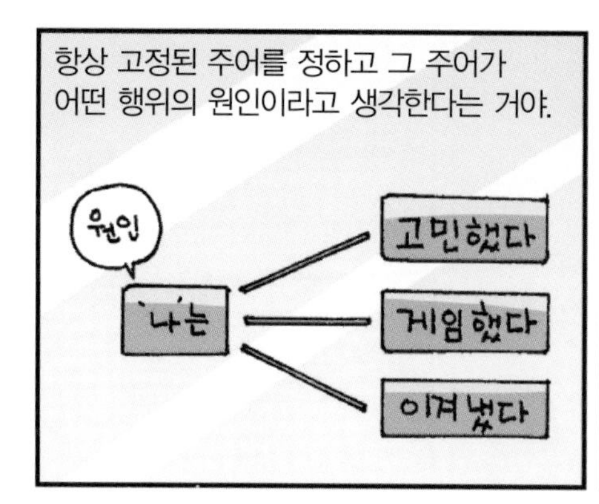

항상 고정된 주어를 정하고 그 주어가
어떤 행위의 원인이라고 생각한다는 거야.
원인
나는
고민했다
게임했다
이겨냈다

데카르트의 착각은 여기서 일어났다고 할 수 있어.
'나는 생각한다' 라는 문장을 볼 때 그는 생각하고 있는 행위의
이면에 그 행위를 일으킨 나라는 것이 따로 존재한다고
생각했던 거지.
분
리
나는
(정신, 이성)
생각
한다
(육체)

그리고 그것을 고정된
하나의 실체로 정한 거지.
내가
실체.
나

하지만 니체가 보기에 고정된
하나의 실체와 자아는 없어.
누구냐
넌?
혼자네.

그저 생각하는 행위가 우리의 신체 안에서
일어났을 뿐이야.
툭!
'자아' 란
그렇게 일어난
현상의 결과물일
뿐이고,

쉽게 말해 데카르트의 신체는 생각이라는 활동을 했고,

그런 생각의 행위를 통해서 만들어진 종합체가 바로 나라는 자아인 거지.

사람들이 가진 자아에 대한 환상은 이렇게 만들어진 거야.

이런 환상을 고발하기 위해 니체는 우리의 신체가 여러 힘들의 투쟁 속에서 무언가를 의지하거나 고정되어 있지 않고 끊임없이 변화한다고 설명했어.

자아란 고작 힘들의 싸움이 만들어 낸 결과물일 뿐 아무것도 아니라는 거야.

현재의 자아란 또 다른 힘들 간의 전쟁에 의해, 그리고 또 다른 자아가 형성되기 위해 극복되어야 할 대상에 지나지 않아.

다양한 힘들이 전쟁과 평화를 반복하는 동안 우리의 신체는 계속 또 다른 자아를 형성해 나가지.

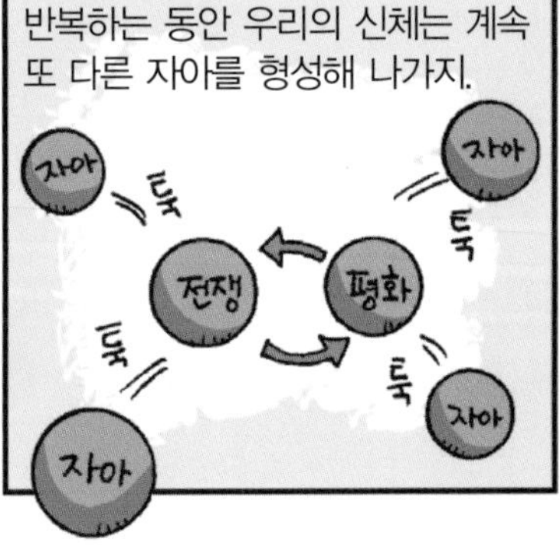

그것이 끊임없이 변화하는 존재가 속한 대지의 아름다운 숙명이야.

니체는 우리가 육체적 존재도, 정신적 존재도 아니라고 말하고 있어.

우리는 살과 피를 지닌 채 무언가를 욕망하고 더 큰 힘을 얻기 위해 이성을 사용하지.

그렇게 해서 원하는 걸 이루면 우리의 정신은 기뻐하고 감각은 만족을 느껴.

니체는 정신과 육체를 이분법으로 바라보는 편협한 시각에서 우리의 신체를 구원해 냈어.

신체는 고정되어 있는 자아가 아니라 무수한 힘들이 경쟁을 벌이면서 그때그때 만들어 내는 결과물일 뿐이라고 했지?

제7장 영원 회귀

영원 회귀는 니체의 철학 중 가장 핵심적인 사상이야.
니체 사상
영원 회귀

그래서 니체는 영원 회귀를 '사상 중의 사상'이라고 부르기도 했단다.
영원 회귀
가장 돋보이지.

하지만 영원 회귀는 니체의 사상 중 가장 어려운 부분이기도 해.
너무 겁먹지 마,
그러면 니체를 이해하기가 더욱 힘들어져.
영원 회귀
슬금슬금

니체는 언제나 우리에게 어린아이가 될 것을 요구해.

어린아이처럼 천진난만해지라는 거야.
아기가 되라는 게 아니야!
응애~

영원 회귀 사상은 천진난만함을 갖출 때 비로소 완전히 이해할 수 있어.

니체의 사상들은 서로가 매우
긴밀하게 연결되어 있단다.
사상

지금까지 신의 죽음, 힘에의 의지, 신체,
인식 등을 살펴보았어.
신의 죽음

이 이론들은 서로 별개가
아니란다.
꽈
악

니체의 사상 전체를 하나의 기계로 본다면
각각의 이론들은 기계를 구성하는 톱니바퀴인
셈이지.
니체 사상
힘에의
의지
신의
죽음
영원
회귀
신체
인식

많은 톱니바퀴 중 하나가 빠지면 다른 톱니바퀴들도
멈추어 기계가 작동하지 않듯이, 니체의 전체 사상과
이론도 하나가 빠지면 그 의미가 퇴색해 버려.
작동이
안 되네.
니체 사상
휙
인식

영원 회귀 사상도
마찬가지란다.
영원 회귀 사상이 없으면
니체의 전체적인 사상도
그 힘을 잃어버려.
후들
후들

영원 회귀는 니체의 다른
사상들을 지탱해 주는 가장
중요한 사상이라고 할 수
있어.
신의
죽음

신의 죽음, 힘에의 의지, 신체, 인식 등에서 니체는
일관적으로 '생성'에 관해 이야기했어.
생성은 우리가
살고 있는 이 세계의
모습이지.
변화

즉 모든 것은 변화하며 고정된
'존재'의 세계란 없다는 거야.
고정된 존재의 세계
불쑥

그렇다고 내가 '세계의
본질이 생성이다'라는 주장만
하려는 것은 아니야.
꿈틀
꿈틀

어떻게 보면 니체에게 더 중요한
문제는 이걸 거야.
우리는
생성의
세계를
어떻게
살아가야
할까?
꿈틀
꿈틀

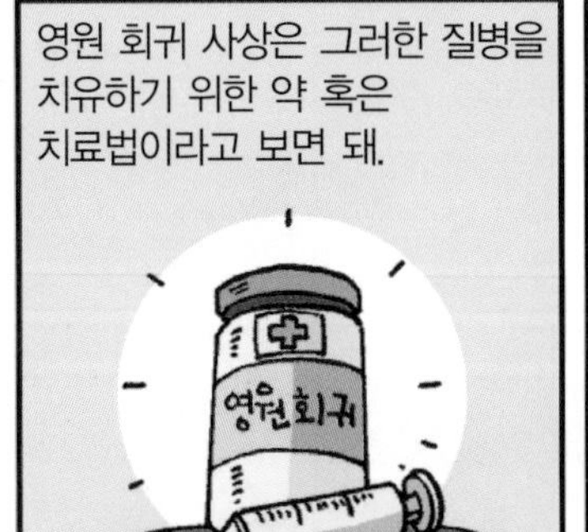

좋은 약이 입에 쓰고 모든 치료의 과정이 고통스럽듯이 영원 회귀 사상 역시 쓰고 고통스러운 약이자 치료법이란다.

미안.

영원 회귀, 이것이 허무주의의 가장 극단적인 형식이다.

모든 것이 허무로 끝나는 게 아니라 그 허무가 영원히 반복된다.

니체의 말에서 우리는 영원 회귀란 것이 무엇이며 어떤 느낌을 주는지 알 수 있어.

영원 회귀 사상은 이렇게 항상 두 가지 측면을 동시에 말한단다.

첫 번째, '세계는 이렇다'는 판단을 담고 있고,

두 번째, '세계를 어떻게 살아갈 것인가?' 라는 실천적인 질문을 던지고 있어.
어떻게?

니체의 말에서 우리가 알 수 있는 것은 세계가 영원히 반복된다는 점,

그리고 그런 세계의 모습 탓에 인간이 허무주의에 빠진다는 점이지.
반복

그럼 좀 더 자세하게 영원 회귀에 대해서 살펴보도록 하자.
영원 회귀

우선 첫 번째 문제, 영원 회귀가 이 세계에 대해 말하는 바는 무엇일까?
차라투스트라는 이렇게 말했다 3부
영원 회귀

《차라투스트라는 이렇게 말했다》의 3부에서 차라투스트라는 그가 원래 살았던 높은 산의 동굴로 돌아간단다.
영원 회귀

산에서 내려와 사람들에게 자신이 얻은 지혜를 전해 주려 했지만

사람들이 전혀 이해를 못하자 다시 산으로 돌아갔던 것이지.

동굴에서 차라투스트라는 7일 동안 앓아.

다시 깨어난 차라투스트라는 그의 친구인 동물들과 영원 회귀에 관한 대화를 나누지.

모든 것은 가며, 모든 것은 되돌아온다. 존재의 바퀴는 영원히 돌고 돈다. 모든 것은 시들어 가며, 모든 것은 다시 피어난다.

존재의 해(年)는 영원히 흐른다. 모든 것은 부러지며, 모든 것은 다시 이어진다. 똑같은 존재의 집이 영원히 지어진다. 모든 것은 헤어지며 모든 것은 다시 만나 인사를 나눈다.

존재의 바퀴는 이렇듯 영원히 자신에게 신실하다. 매순간 존재는 시작된다. 모든 '여기'를 중심으로 '저기'라는 공이 굴러간다. 중심은 어디에나 있다.

모든 것은 가고 다시 되돌아온다…. 존재의 바퀴는 영원히 돌고 돈다…. 매순간 존재는 시작된다.

즉 영원 회귀란 '세계와 그 세계 속의 모든 사물들이 계속 반복해서 존재한다'는 뜻이야.

내가 오늘 길에서 철수를 만났다면 내일도 똑같은 장소에서 철수를 만나고

또 만났네.

그러게.

앞으로도 계속 똑같이 철수를 만나게 될 거란 이야기 같기도 해.

그러면 혹시 순환론적 세계관을 말하는 것일까?

순환론적 세계관

순환론적 세계관이란 봄, 여름, 가을, 겨울이 계속 순환하듯이 우리가 살고 있는 세계에도 일정한 흐름이 반복된다는 주장이야.

일정 기간의 평화가 지속되면 반드시 전쟁이 찾아온다는 설명 같은 거지.

먼 옛날은 여성이 남성보다
우위에 있던 모계 사회였다고 해.
주도권
스윽

그러다 남성이 주도권을 잡은
부계 사회로 바뀌었지.
주도권

하지만 요즘은 알파걸이란 말이
유행하며 다시 여성 상위 시대로
들어서고 있어.
보고서
이걸
보고서라고
써 왔어!

어떤 사람들은 이런 흐름이 역사를
통해 계속 반복된다고 주장해.
남자
주도권
여자

그럼 니체가 말한 영원 회귀란 것도 이렇듯
일정한 흐름이 반복된다는 뜻일까?
아니야!
영원
회귀
땡

이것 역시 아니야.
그러면 뭘까? 무엇이
영원히 반복된다는
것일까?
생각해 봐.

사실 니체가 말하고자 하는
바는 간단해.
너무나 상식적인
이야기야.
1+1=2

아까 동물들이 '존재의 바퀴는 계속 돌고 돈다' 고
말할 때 그것은 어떤 사물이나 사건이 무한히 계속
반복된다는 뜻이 아니야.
또
땡!

우리가 니체의 영원 회귀를
오해하고 어렵게 느끼는
이유는
영원
회귀

니체가 '존재는 영원히 똑같이
되돌아 온다' 라고 했을 때 '존재' 라는
말을 잘못 이해하기 때문이야.
밑줄
쫙!
"존재"

우리는 '존재' 라고
하면 '무엇이 있다' 고
생각하지.

그래서 저기 분명히 서 있는 나무, 내가
앉아 있는 의자, 내가 좋아하는 사람 등을
떠올리게 돼.

그래서 영원 회귀라고 하면 저 나무가, 의자가, 내가 좋아하는 사람이 계속 돌고 계속 되돌아온다고 생각하는 거지.
정반대로 생각하고 있잖아.

니체가 말하는 존재는 '무엇이 있다'라고 할 때의 무엇을 의미하는 것이 아니라 생성을 의미해.
생성

서구 문명은 그동안 세계를 존재와 생성의 틀로 나누어 바라봤다고 했지?

니체는 형이상학적 이분법이 말하는 존재의 세계를 허구라고 비판했어.
쾅

그러면 니체가 바라보는 세계는 어떤 세계일까?
세계는 오직 생성의 세계라고~.
하 하
생성

모든 것이 변화하고 있고, 되어 가고 있는 상태, 즉 생성의 세계야.
뽁
뽁
뽁
뽁

그렇다면 존재하는 것은 무엇일까?

만약 이 세계에 존재하는 무엇이 있다면 그것은 오직 모든 것이 변화하고, 되어 가고 있는 생성의 상태뿐이라고 말할 수 있어.
응애~

그러면 만물이 고정된 상태로 있지 않고 계속 변화하는 이유는 무엇일까?

생성의 세계는 곧 힘에의 의지들이 투쟁하는 상태야.
우리들 때문이지.

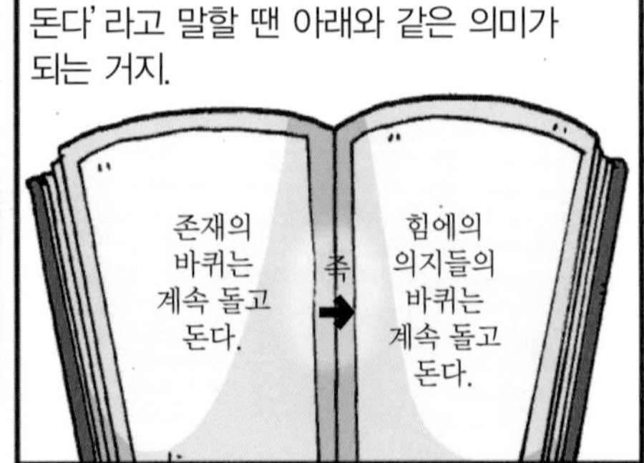
그래서 니체가 '존재의 바퀴는 계속 돌고 돈다'라고 말할 땐 아래와 같은 의미가 되는 거지.
존재의 바퀴는 계속 돌고 돈다.
즉
힘에의 의지들의 바퀴는 계속 돌고 돈다.

차라투스트라가 아래와 같이 말할 때는
존재는 영원히 흐르고 이어지며 존재의 집은 영원히 지어진다.

아래와 같은 의미가 되는 것이고.
생성은 영원히 흐르고, 이어지며, 생성의 집은 영원히 지어진다. 혹은 힘에의 의지는 영원히 흐르고, 이어지며, 힘에의 의지의 집은 영원히 지어진다.
생성
생성
생
성

자, 그럼 영원 회귀가 말하는 바가 무엇인지 알겠니?
영원 회귀

생성의 상태, 즉 힘에의 의지들의 힘겨루기 상태가 영원히 반복된다는 거야.
이게 내가 바라는 세상이야.
졌다.
헉
다음은 나다.
도전이다!

간단히 말하면 이 세계는 수많은 힘에의 의지들이 쉴 새 없이 서로 싸우며 영원히 경쟁하고 있고
아뵤-!

모든 것은 고정되지 않고 계속 변화하여 또 다른 것으로 되어 간다는 거야.

생성에 존재의 성격을 각인한다. 모든 것이 회귀한다는 것은 생성의 세계가 존재의 세계에 극도로 접근하는 것이다.
가깝다

이렇게 니체는 영원 회귀 사상이 멸시받던 생성의 세계에 존재의 위치를 되돌려 준다고 설명하고 있어.
자.
감사

지금까지 생성의 세계는 존재하지 않는 것으로 취급받아 왔지만
진실은 저 너머에.

니체는 오히려 반대로 생성, 힘에의 의지들만이 존재하고 있다고 주장하는 거지.

강조하지만, 영원 회귀를 생각할 때 고정된 무엇을 떠올리고 그것이 영원히 반복된다고 생각해선 안 돼.

'무엇이 존재하는가?' 라는 물음에는

'영희의 계속된 변화 상태, 무엇으로 되어 가는 상태만이 존재한다' 라고 대답할 수 있지.

*동일자 – 현실에서 동일하게 있는 사물을 뜻함.

존재에 대한 그런 생각은 거의 2000여 년
동안 당연히 받아들여져 왔어.
A=A
A=A
A=A

하지만 니체는 이를
완전히 거부했어.
"도전 골든 벨"
X

니체가 바라본 존재는 오히려 항상
'A≠A' 의 상태야.
어제 본 영희와 오늘 본
영희는 항상 다르다는 거지.
정답
A ≠ A

니체의 방식에 따르면
영희(A)의 존재를 이렇게
표현할 수 있어.
A= A1 = A3=A4
...... An

그러면 어제 봤던 영희(A)가 오늘 똑같은
영희로(A) 되돌아오는 것이 아니라,
≠

오늘은 조금 다른 영희(A_1)이고
내일도 역시 조금 변화한 상태(A_2)로
경험된다는 것이야.
=
=

그럼 어제와 오늘 그리고 내일 그리고
앞으로 계속 영희를 보면서 우리는
그곳에 무엇이 있다고 말할 수 있을까?
?

바로 'A≠A' 라는 사실, 즉 고정된 것은 없고 계속 변화하는 생성만이
존재한다고 말할 수 있을 거야.
A
≠
A
아~

영희가 계속 변화하는 상태에서 유일하고 동일하게
반복되는 동일자 '=' 의 의미는 무엇일까?
?
A = A1 = A2
= A3 ... An

'A=An' 이라는 식에서 영희(A)는 변화한 또 다른
영희(An)들 뿐이라는 뜻이니까 '=' 는 '변화', 또는
'생성' 을 의미하겠지.
=
변화!
생성!

그래서 니체는 존재하는 것은 오로지 '생성'과 '힘에의 의지' 밖에 없으며
오직 둘뿐!

그러한 '생성'과 '힘에의 의지'만이 영원히 되돌아온다고 말하는 것이란다.

우리는 지금까지 영원 회귀 사상이 가진 첫 번째 측면인 '세계는 어떻다'는 것에 대해서 살펴보았어.

그럼 이제 두 번째 측면인 '어떻게 살아갈 것인가?' 라는 실천적인 문제로 넘어가 보자.
다음

앞에서 니체의 영원 회귀 사상이 극단적인 허무주의를 가져올 수 있다고 했었지?
영원 회귀
허무해.
허무해.

맞아. 사실 영원 회귀 사상은 허무주의적일 수 있어.
에구구~
"영원 회귀"

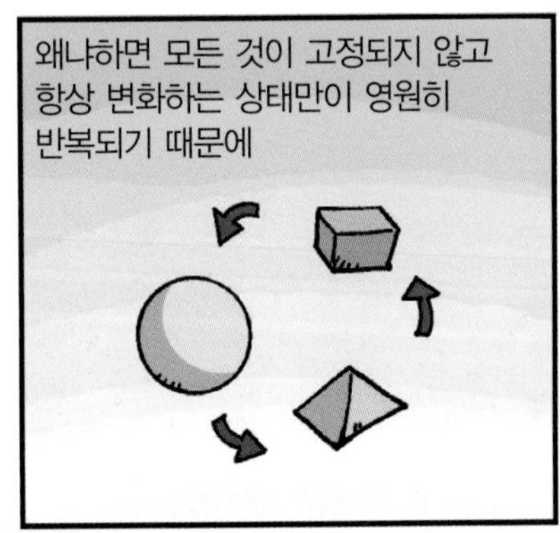
왜냐하면 모든 것이 고정되지 않고 항상 변화하는 상태만이 영원히 반복되기 때문에

인간의 삶이 덧없는 신기루처럼 여겨지는 거지.
분명히 물이 있었는데….
헉
헉

만약 내가 좋아하는 영희가 매순간 또 다른 영희로 변해 간다면
누구…?
나 영희야.

내가 영희를 좋아하는 것에 무슨 의미가 있겠니?
내 영희를 돌려줘~.

만약 여러분이 영원 회귀 사상을 갖게 된다면 아무런 의욕이 나지 않을 거야.
수업 끝났는데 PC방 안 갈래?
귀찮아.
의욕 상실

삶의 목적도 없겠지.
주제 - 꿈
화가
김지혜
정해진
삶의 목표가 없으니 꿈도 없어.

학교에 가서 열심히 공부할 필요도 없을 테고 말이야.
학교 안 가?
뭐 하러~.

어떤 목표를 가지고 노력했지만
변호사

오늘 목표를 가졌던 내가 내일은 더 이상 오늘의 내가 아니라면
"오늘"
"내일"

지금의 어떠한 다짐도 나중엔 아무런 의미가 없을 거야.
다짐해서 뭐 해!
으 악

생성의 세계에선 모든 것을 특정한 관점에서만 해석할 뿐 진리란 존재하지 않아.
진리야, 어디 있니?

진정한 앎을 깨달을 수 없다는 사실도 허무함을 더해.
헉 헉
포기다!

그렇다면 우리는 무엇 때문에 살아갈까?
삶에 의미가 있기 때문이 아닐까?
의미
와~
삶

그럼 어떻게 삶에 의미를 부여해야 할까?
일단 '나'의 존재를 일관되게 유지해야 해.
스윽

즉 '정체성'을 가져야 하지.

일관된 '나'가 또 다른 정체성을 가진 타인들과 함께 살아가면서 일을 하고,

관계를 맺고, 미래를 약속하면서 살아가는 것이 삶의 모습이잖아.

그런데 니체는 그렇게 고정된 '나'란 없다고 말해.
꿈틀
꿈틀

'나'와 '타인'들, 즉 이 세계에는 그저 '생성'이 영원히 반복될 뿐이라는 거지.
무한 반복

사실이 그렇다면 우리는 삶에 아무런 의미를 갖지 못하게 돼.
의미

삶에 아무런 의미를 갖지 못하는 것, 그것이 곧 니힐리즘이란다.
니힐리즘 = 허무주의
같은 뜻이야.

이러한 허무주의 때문에 니체는 영원 회귀가 굉장히 위험한 사상이라고 말해.
영원 회귀
노올자.
위험해!

차라투스트라 역시 영원 회귀 때문에 엄청난 슬픔에 빠지기도 했지.
엉엉

'네가 지겨워하는 저 왜소한 사람, 그가 영원히 돌아오는구나.'
컥!
또 만났네~.

'이렇게 나의 비애는 하품을 해 가며 발을 질질 끌며 잠을 이룰 수가 없었다.'
하품은 나오는데 잠은 안 와.

'인간 세상이 동굴로 변해 버리고 그 심장부는 푹 가라앉고 말았다.'
켁!

'모든 생명체는 인간 곰팡이가 되고 마른 뼈가 되었으며 썩어 빠진 과거가 되었다.'
까악~!

'나의 탄식은 인간들의 무덤 위에 걸터앉아 더 이상 일어날 수가 없었다.'
헉 헉~

'나의 탄식과 의문은 밤낮으로 두꺼비처럼 투덜대고, 나를 질식시키고 괴롭히고 비통해했다.'
으아악
탄식.
의문.

우리에게 삶의 기쁨을 가르쳐야 할 차라투스트라마저 영원 회귀 사상 앞에서 무력해질 만큼 영원 회귀 사상은 인간에게 매우 위험한 허무주의를 심어 줄 수 있어.
놀~ 자.
으아아악

그러니 이런 의문이 드는 게 당연해.
영원 회귀 사상은 오히려 삶을 부정하도록 만들지 않을까?
삶을 긍정하라더니 대체 뭐야!

하지만 니체는 결코 삶을 부정하라고 가르치지 않아.
틀렸어!
헉!
척

오히려 삶을 긍정하기 위해 영원 회귀 사상을 받아들여야 한다고 말하지.
들어와.
ㅠㅠ

삶을 긍정한다는 것은 그저 무턱대고 삶을 좋아하고 기뻐하는 것이 아니야.
어차피 만날 빵점인데.

오히려 삶이 끔찍하다 할지라도

있는 그대로 받아들이고 용기 있게 인정하는 것을 의미해.
같이 놀아 줄게.

생성의 세계가 계속 변화하고 그로 인해 삶이 영원히 반복될지라도

니체는 그런 삶을 있는 그대로 인정하라고 말하지.
인정해

나아가 덧없는 삶의 매순간들에 적극적으로 의미를 부여하면서 살아가라고 해.
적극적으로!
의미
의미
의미
콕
삶
삶
삶

니체는 우리 자신에게 다음과 같은 물음을 던질 것을 요구해.
계속 빵점이길 원해?
그건 좀….

니체는 이렇게 매순간 자기 자신에게 물음을 던지며 살아가라고 말하고 있어.
자꾸 놀고만 싶다.
그러면 또 빵점 맞겠지?

지금 이 순간 겪고 있는 찰나의 삶에서

그러한 삶이 수없이 계속 반복되기를 원할 만큼 삶의 매순간을 사랑하라는 거야.
춤추는 걸 좋아하니까.
힘들어도 열심히~.

만약 누군가를 사랑한다면 그 사람을 영원히 반복해서 사랑하기를 원할 만큼 그 사람을 사랑하라는 이야기지.
영원히 사랑해.
정말?

그렇게 매순간을 긍정하며
긍정적으로

매순간의 영원 회귀를 바랄 만큼 최선을 다하라는 거야.
최선을 다하자.

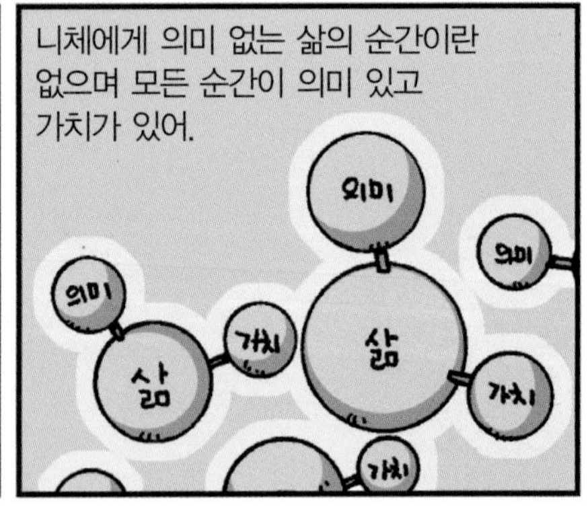
니체에게 의미 없는 삶의 순간이란 없으며 모든 순간이 의미 있고 가치가 있어.
의미
의미
의미
가치
삶
삶
가치
가치

영원 회귀 사상은 극단적인 허무주의일 수도 있지만,
노~올자~

반대로 삶에 대한 절대적인 긍정의 사상일 수도 있어.
그래 놀자!
와~

두 가지 기로에서 우리는 선택해야 해.
삶
부정 저주
삶
긍정 사랑

물론 지금 여러분은 당연히 삶을 긍정하고 사랑할 거라고 말할 테지.

하지만 잊지 마. 차라투스트라마저도 영원 회귀 사상을 통해서

고통스럽고 침울한 병에 걸렸었다는 사실을 말이야.

그런데 거기에 어떤 사람이 누워 있는 것이 아닌가! 정말이지 내가 그때 보았던 것, 그와 같은 것을 나 일찍이 본 적이 없다. 몸을 비틀고 캑캑거리고 경련을 일으키며 얼굴을 찡그리고 있는 어떤 젊은 양치기가 눈에 들어오는 것이 아닌가.

입에는 시커멓고 묵직한 뱀 한 마리가 매달려 있었다. 내 일찍이 인간의 얼굴에서 그토록 많은 역겨움과 핏기 잃은 공포의 그림자를 본 일이 있던가?

차라투스트라는 자신이 보았던 환영에 대해 이야기하고 있어.

시커멓고 묵직한 뱀이 어떤 사람의 입속으로 들어가는 장면이었는데,

여기서 시커멓고 묵직한 뱀은 바로 영원 회귀 사상을 의미해.

예로부터 뱀은 영원을 상징하는 동물이란다.

뱀이 반복해서 허물을 벗는 모습이
옛날 사람들에게는 영원히 반복되는
삶의 이미지처럼 보였거든.
살아 있잖아!
허물

따라서 뱀을 입에 넣고 있던 사람은
영원 회귀 사상 때문에 고통스러워하는
인간을 의미해.
영원회귀

영원 회귀 사상 때문에
극단적인 허무주의를
겪는 인간의 모습에서
으아악

차라투스트라는 '그토록 많은
역겨움과 핏기 잃은 공포의
그림자'를 보았던 거야.
부들
부들

그때 내 안에서 "물어뜯어라!
물어뜯어라!"라고 소리치는
어떤 것이 있었다.
물어뜯어라!
물어뜯어라!

양치기는 내가 고함친 대로
물어뜯었다. 단숨에 물어뜯었다.
대가리를
물어뜯어라!
물어뜯어!
으득

그는 뱀 대가리를 멀리
뱉어 내고 벌떡 일어났다.
퉤!

더 이상 양치기가 아니고, 더 이상 인간도 아닌,
변화된 자, 빛에 둘러싸인 자, 그가 웃었다!
하하
하하

지금까지 지상에서 그와 같이
웃은 자가 없었으리라!
하하하

고통스러워하던 양치기는
뱀의 대가리를 물어뜯어
뱉었어.
즉
영원 회귀 사상의
허무주의를
극복한 거지.

허무주의를 극복하고 삶을 긍정하는 자는
지금까지 어느 누구도 지어 본 적이 없는
웃음을 지었어.
하하
계속
웃네.

그것이 바로 삶을 절대적으로
긍정하는 사람의 표정이겠지.
하
하
긍정

이 이야기에서 깨달아야 할 것은 '영원 회귀 사상'을 견디는 것,
견뎌 내야 해.
크악

그리고 삶을 긍정한다는 것이 그만큼 어렵다는 사실이야.
공부해서 뭐 해.
만날 빵점인데.

시커먼 뱀의 대가리를 물어뜯기 위해선 커다란 용기와 결단이 필요해.
공부냐!
놀이냐!
콱
공부

용기와 결단은 아무리 부정적인 삶이라도 받아들이고, 매순간의 영원 회귀를 바랄 만큼 삶을 사랑하고, 의미와 가치를 부여하면서 살아가는 자세를 의미해.
더 이상 빵점은 없다!
휙

니체는 이렇게 삶을 긍정하기 위해서 인간은 자신의 힘에의 의지를 최고조로 상승시켜야 한다고 말해.
오샤
오샤
힘에의 의지

혐오스럽고 덧없는 삶 전체를 의미 있고 가치 있게 전환시킬 정도로 말이야.
가치있는 삶
덧없는 삶

끝없이 자신의 삶의 모든 순간을 긍정하고 삶의 의미를 새롭게 창조하는 사람,
문제 없어.
문제 없어.

그렇게 끝없이 자기 자신을 극복해 나가는 사람,
자신
자신

그래서 지금까지 어느 누구도 지어 본 적이 없는 웃음을 지을 줄 아는 사람,
와~
와~

이렇게 영원 회귀 사상을 허무주의에서 삶에 대한 사랑으로 바꾸는 사람을
사랑
허무주의

니체는 위버멘쉬라고 부른단다.
안녕!

제8장 선과 악을 넘어서

니체의 철학은 기존의 모든 가치를 뒤집는다고 할 수 있어.

그래서 우리는 지금까지 신, 이성, 정신 등 서구 문명이 전통적으로 중시해 왔던 가치들을 뒤집으려는 니체의 시도를 살펴보았지.

니체는 그때까지 당연한 것으로 받아들여 왔던 도덕적 가치에 물음을 던졌어.

서양의 전통적인 도덕은 니체가 보기에 그릇된 인간관과 세계관에 바탕을 두었고,

따라서 인간으로 하여금 삶을 부정하고 결국 허무주의에 빠지게 만들었어.

니체는 당시의 도덕이 지닌 모순을 폭로하고 새로운 도덕을 구상해 냈단다.

그럼 먼저 니체가 기존의 도덕을 어떻게 비판하는지 살펴보도록 하자.

니체는 도덕이 절대화되는 것을 비판했어.

지금까지 도덕은 그 자체로 '선(善)'을 의미했고, 보편적인 가치로 받아들여져 왔지.

따라서 개인이 도덕에 대해 주관적인 판단을 하거나 이의를 제기할 수 없었어.

이렇게 도덕은 시대와 장소를 뛰어넘어 '절대적'인 것으로 여겨져 왔어.

하지만 니체는 보편적인 기준을 토대로 하는 도덕이란 없다고 말해.

왜냐하면 니체가 보기에 도덕과 선(善)이란 인간의 삶과 직접적인 관계를 맺고 있기 때문이야.

도덕이란 사람들의 삶의 조건에 따라 만들어지고 그 변화에 따라 같이 변해야 해.

따라서 니체는 도덕이 상대적인 것이라고 말했어.

도덕이 절대적이고 선(善)이라는 보편적 가치를 담고 있으며, 삶의 현장을 초월해 있다는 생각은 불합리하다는 것이지.

그래서 니체는 다음과 같이 선언해.
깨끗
깨끗
절대적인 도덕은 없어.

차라투스트라의 입을 빌려 다음과 같이 설명했지.
헙
'민족의 이름 위에는 저마다의 가치를 기록한 서판이 걸려 있다. 보라, 그것은 저마다의 민족이 극복해 낸 바를 말하고 있으니.'
유럽
서양
동양
아시아

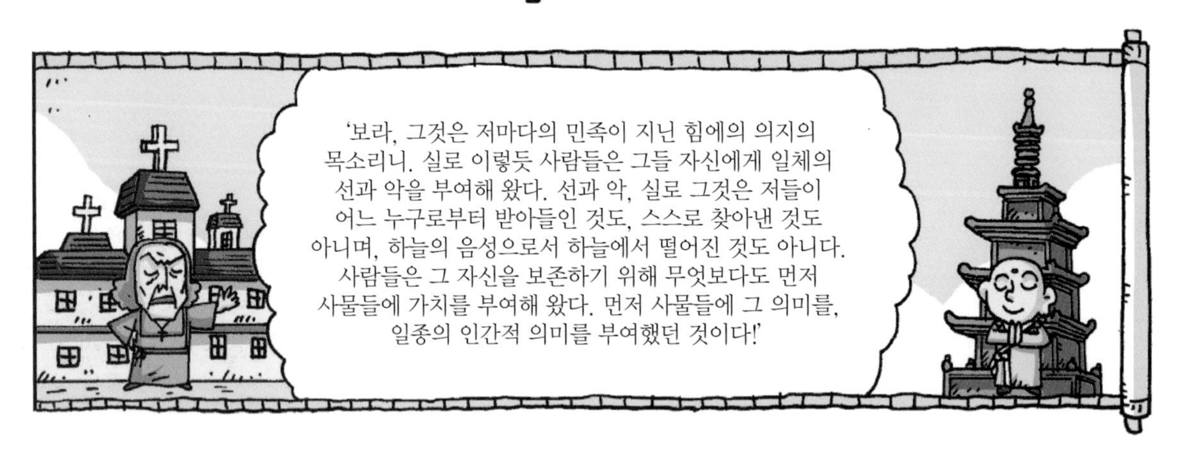
'보라, 그것은 저마다의 민족이 지닌 힘에의 의지의 목소리니. 실로 이렇듯 사람들은 그들 자신에게 일체의 선과 악을 부여해 왔다. 선과 악, 실로 그것은 저들이 어느 누구로부터 받아들인 것도, 스스로 찾아낸 것도 아니며, 하늘의 음성으로서 하늘에서 떨어진 것도 아니다. 사람들은 그 자신을 보존하기 위해 무엇보다도 먼저 사물들에 가치를 부여해 왔다. 먼저 사물들에 그 의미를, 일종의 인간적 의미를 부여했던 것이다!'

여기서 차라투스트라는 선(善)이란 각 민족이 사물에 부여한 저마다의 가치라고 말하고 있어.
내가 '선'.
내가 '선'.
예수
부처

그리고 사람들은 그렇게 사물에 부여된 선(善)의 가치가 삶을 고양시키고 위대하게 만든다고 믿어 왔어.
선
선
선

그렇게 선(善)과 악(惡)의 기준이 만들어지고 도덕이 형성된 거지.
도덕
선
악

이와 같은 과정을 주도한 주체는 과연 무엇이었을까? 바로 '힘에의 의지' 겠지?
그러면 '힘에의 의지' 가 자신의 목적에 따라서 '가치' 마저도 창조해 낸다는 것을 알 수 있어.
훗~

니체는 선과 악, 그리고 도덕은 힘에의 의지가 사람들의 삶을 더욱 강하게 하고 번영을 유지하기 위한 목적을 가지고 만들어 낸 것으로 본 거야.
도덕

차라투스트라는 힘에의 의지가 선과 악의 가치를 부여하는 주체임을 다음과 같이 말해.

예를 들어 고대 그리스에서 아테네와 스파르타가 벌인 그 유명한 펠로폰네소스 전쟁도 서로 다른 선과 악에 대한 가치의 충돌이었어.
아테네
스파르타
지중해
즉 서로 다른 두 정치 체제의 충돌이었지.

아테네는 자유분방함, 진취성 등을 선한 것이라 여겼고,

스파르타는 절제, 인내, 질서 등을 선한 것이라 여겼지.
줄 맞춰.

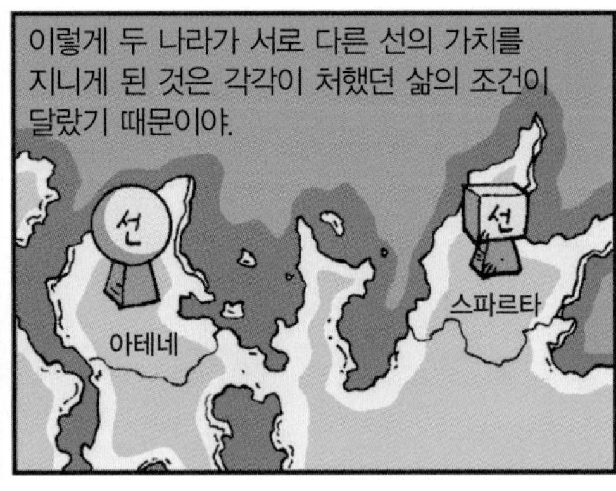
이렇게 두 나라가 서로 다른 선의 가치를 지니게 된 것은 각각이 처했던 삶의 조건이 달랐기 때문이야.
선
선
아테네
스파르타

아테네는 주로 해상 무역을 했고 상업이 발달했기 때문에 자유분방함과 진취성을 중시했어.

반면 스파르타는 내륙에 위치했고 농업 중심이었지.

또한 전체 인구에서 스파르타인이 차지하는 비율이 매우 낮았어.
스파르타인
우리 여깄어
스파르타인
노예들

소수의 스파르타인이 다수의 노예를 효율적으로 지배하기 위해서는 무력과 질서 잡힌 조직 등이 필수적이었단다.
반란하면 알지?
네! 넵!

그래서 스파르타는 군사적 가치인 절제, 인내, 질서 등을 중시했던 거야.
어쩔 수가 없다고.
호시탐탐

이처럼 선과 악의 가치는 상대적이야.

그렇기 때문에 애초에 정해진 선과 악이란 기준도 존재하지 않아.
선
악

그래서 니체는 다음과 같이 말했단다.
도덕적 현상이란 존재하지 않고, 단지 현상들에 대한 도덕적 해석만이 존재한다.
도덕적 해석

우리의 삶 이전에 존재하는 도덕이란 없어.
왜 앞에 있지?
삶
도덕

단지 우리의 삶이, 그리고 우리의 힘에의 의지가 세계를 해석한 도덕적 해석이 있을 뿐이지.
흐음~

아테네인과 스파르타인이 이렇게 해석을 달리하듯 말이야.
우리에게 선은 자유분방함과 진취성이다.
100분 토론
우리에게 선은 절제, 인내, 질서이다.
아테네
스파르타

또 니체는 서구식 도덕의 선과 악에 형이상학적 이분법의 세계관이 배어 있음을 폭로했어.

형이상학적 이분법은 세계를 존재와 생성으로 나누어 바라볼 뿐 아니라, 우리가 살아가는 현실인 생성의 세계를 깎아내리고 모든 삶의 가치를 허구인 존재의 세계에 두는 문제점이 있었지.

서구의 도덕은 이러한 형이상학적 이분법과 밀접하게 연결되어 왔을 거야.
친해!
도덕
이분법

당연히 존재의 세계를 선한 것으로, 생성의 세계를 악한 것으로 평가해 왔어.

그러면서 선은 추앙해야 할 것으로, 악은 혐오해야 할 것으로 생각했지.

하지만 이러한 선과 악의 개념은 인간이 만들어 낸 망상일 뿐이야.
슥슥

그래서 차라투스트라는 다음과 같이 말했어.
선과 악이라 불리는 진부한 망상이 있다.

지금까지 예언가들과 점성술사들의 둘레를 맴돈 것도 이 망상의 바퀴였다.

형제들이여, 지금까지의 별과 미래에 대한 이야기는 망상이었을 뿐 실제 알려진 것은 아무것도 없다.

마찬가지로 선과 악도 망상일 뿐 실제 알려진 것은 아무것도 없다!
어디 한번 증명해 봐!

선과 악이 진부한 망상인 이유는 뭘까?

절대적인 도덕의 토대가 되는 초월 세계란 실제로 존재하지 않는,
존재하지 않아!
스윽

오히려 인간에 대한 왜곡과 경멸, 그리고 삶의 세계에 대한 폄하가 만들어 낸 허구이기 때문이야.
완벽한 세상이 있을 거야.

그렇다면 허구적인 절대 도덕은 어떻게 만들어졌을까?
도덕

창조적이고 자유로운 존재가 되기 위해 자신을 끝없이 극복해 나가는 용기가 사람들에게 부족했기 때문이야.
못하겠어.

그래서 현실보다 더 나은 허구의 세계를 상상해 내었고

그곳의 삶을 지상에서 자신을 극복해 나가며 사는 삶보다 더 진실하고 선한 것으로 평가하게 되었지.
넌 너무 힘들어!

니체는 선과 악이라는 도덕을 만들어 낸 사람들을 이렇게 평가해.
정결하지 못한 정신을 지닌 자들!
또 시비냐!
도덕
불결해

차라투스트라는 그들에 대해 다음과 같이 말하지. '하지만 나는 너희에게 돼지 눈에는 모든 것이 돼지로 보일 뿐이라고 말하련다! 머리뿐만이 아니라 마음까지 떨구고 있는 광신자와 위선자들이 "이 세계 자체가 하나의 거대한 오물더미"라고 설교하는 것도 그 때문이다. 저들 모두가 정결하지 못한 정신을 갖고 있으니. 누구보다도 이 세계를 그 배후에서 보지 않고서는 마음 편히 쉴 수 없는 자들, 즉 저편의 또 다른 세계를 신봉하고 있는 자들이 그러하다!'

현실의 세계를 있는 그대로 인정할 용기가 없는,

이 세계를 거대한 오물더미라고 부르는 그들이야말로 정결하지 못한 정신을 가진 자들이라는 거야.

니체는 그들이야말로 대지를 오염시키는 '대지의 피부병'이라고 했어.

니체는 서양 문명을 지배해 온 선과 악이라는 가치를 근본적으로 뒤집고 싶어 했어.

또 절대적인 도덕이 우리의 삶을 어떻게 비방해 왔고, 결국 인간들로 하여금 삶을 부정하게 만들었는지 폭로하기 시작했지.

모든 가치의 재평가는 우리가 지금까지 경멸하고 저주했던 것들을 다시 살펴보는 것으로부터 시작해.

차라투스트라의 말을 들어 볼까?

나 이 셋을 인간적인 관점에서 제대로 저울질해 볼 참이다.

니체는 절대적인 도덕이 가장 저주했던 세 가지의 가치를 재평가해.
다시 조사한다!
넵!
쾌락
지배욕
이기심

이들의 가치가 다시 인정받을 때 절대적인 도덕은 무너지고 말 테니까 말이야.
쾌락
지배욕
이기심
탁
우르르르-
도덕

감각적 쾌락에 대한 재평가

니체는 절대적 도덕이 가진 가장 핵심적인 특성으로 금욕주의를 지적해.
절대적 도덕
금욕주의

서구 문명에서 감각적 쾌락은 무조건 억압해야 하는 것으로 취급받았어.
당장 체포해!
넵

절대적인 도덕은 인간을 정신과 육체로 이분화하고 정신적인 것을 선으로, 육체적인 것을 악으로 여겼지.
도덕
선
악

그래서 육체가 가지는 감각적 쾌락은 무조건 나쁘고 억압해야 할 것이었어.
잡아들여!
넵

육체는 자유로워야 할 정신을 가두고 있는 감옥으로 묘사되었지.

육체가 가진 감각적인 쾌락을 멀리해야만 영혼의 행복에 도달할 수 있다고 생각했던 거야.
행복
금욕

니체 이전까지 서구의 도덕은 감각적인 쾌락을 죄악시하는 금욕주의와 다를 바 없었어.
금욕
서구의 도덕
금욕

무엇보다 신체 그 자체인 인간에게 육체를 벗어나라는 절대적 도덕의 명령은
니체에게 말도 안 되는 헛소리일 뿐이야.

벗어나,
어서!

도덕

흥

말이 되는
소릴 하라고!

이기심에 대한
재평가

기존의 절대적 도덕은 이기적인 행위를 악으로, 이타적인 행위를 선으로 생각했어.
남에게 베푸니까 선하고
베풀지 않으니까 악해.
절대적 도덕
이타적 행위
이기적 행위
선
악

그러나 니체는 이기적인 행위와 이타적인 행위 사이에는 본질적인 차이가 없다고 주장해.
오십보백보.
절대적 도덕
이타적
이기적

왜냐하면 니체가 보기에 인간의 모든 행위는 '자기애'에서 발생하거든.
즉 자기를 사랑하는 관점에서 출발하지 않는 행위란 없다는 거지.

그렇게 볼 때 이타적인 행위도 큰 틀에서 보면 결국 이기적인 행위라는 거지.
이타적 행위
이기적 행위

여러분이 무거운 짐을 들고 가는 할머니를 도와 드렸을 때, 분명 순수하게 돕고자 하는 마음이 있었을 거야.

하지만 그런 행위를 하고 나서 전혀 뿌듯하지 않다면 다음에도 할머니를 도와 드릴까?
마땅히 할 일이야.

니체는 이 경우 여러분이 할머니를 도운 이타적인 행위도 결국 여러분이 만족을 느끼기 위해서 한 이기적인 행위라고 설명해.
모든 행위는 이렇듯 자기애를 벗어날 수 없어.
착한 어린이가 되어 볼까?

따라서 모든 행위는 이기적일 수밖에 없지.
자기애에서
발생하니까
행위
행위
행위

니체는 이기적인 것을 악으로 평가하는 도덕이야말로 무기력하기 짝이 없다고 주장해.
넌 나빠.
절대적 도덕
쿡
이기적 행위
이기적인 것은 절대로 나쁜 게 아냐!

'그리고 그때, 그가 입을 열고 이기심을, 힘찬 영혼에서 솟아오르는 건전하며 건강한 이기심을 복된 것으로 찬양하는 일이 일어났다. 진정 처음으로! 고상한 신체, 아름답고 막강하며 생기 있는 신체가 속해 있는, 그리고 그 주위에 있는 모든 사물이 되어 다시 비추고 있는, 그 힘찬 영혼에서 솟아오르는 저 건강하며 건전한 이기심을 말이다.'

고상한 신체는 자기 자신에 대한 사랑 때문에 이기적일 수밖에 없어.

미안.

이기심

이타적

고귀한 사람이라면 누구나 당당하게 자신을 사랑한다고 말할 수 있어야 해. 이는 절대로 악한 것이 아니야.

자기애

지배욕에 대한
재평가

지배욕에 대한 니체의 평가는 이기심과 같은 맥락에 있어.
이기심
지배욕

힘에의 의지는 그 본성상 더 많은 힘을 얻으려 하고 더 많은 것을 지배하고 싶어 하지.
알지?

그렇기 때문에 지배욕이란 힘에의 의지의 본성에 따르는 지극히 자연스러운 마음이야.

그런데 기존의 절대적인 도덕은 지배욕을 무조건 악한 것으로 생각했어.
도덕
무조건
악해!

자연스레 지배자는 악한 존재로, 피지배자는 선한 존재로 여겼지.
악
선

특히 기독교는 그러한 선과 악의 도식을 가장 분명하게 드러냈어.

성경에서도 로마인들은 악한 존재로, 유대인들은 선한 어린 양으로 그려져.
로마인
유대인

하지만 니체에게 강자가 약자를 지배하는 것은 자연스러운 일이야.
당연한 거 아니겠어?

왜냐하면 그것이 우리 삶의 있는 그대로의 모습이기 때문이지.

우리가 나쁘다, 좋다라고 평가하기 이전의, 우리의 삶이 가진 조건 혹은 기반이야.
조건
기반

*파시즘 – 제1차 세계 대전 후에 나타난 극단적인 전체주의.

니체는 결국 그러한 힘에의 의지들이 강자가 되기 위해
전심 전력으로 경쟁하는 것이 고귀하다고 말하고 싶은 거야.

그래서 니체의 강자와 약자의 논리를
독재자의 억압적 지배 구조나
탕탕

나치가 주장한 나치즘과
연관시킨다면 잘못 이해한 거야.

니체는 오히려 그러한 맹목적인 지배-복종 구조를 반대해.

왜냐하면 그러한 맹목적인 지배-복종은 힘에의
의지들이 더 이상 경쟁하지 않는 상태를
유지하고자 하거든.
더 이상 덤빌 자가 없는가?
고요

진정한 지배자인 강자는 약자의
힘에의 의지를 강화시켜서
배고파서 못 싸우겠어.
헉

자신과 경쟁하기를 바라.
어서 먹고 다시 싸우자.
O.K.

마치 무술의 고수가 강한 상대를
만났을 때 기뻐하듯이 말이지.
오랜만에 제대로 된 상대를 만났구나!

자, 지금까지 우리는 니체가 기존의 절대적인 도덕이 억제하고 통제하려고 했던 가치인 감각적 쾌락, 이기심,
지배욕을 어떻게 재평가했는지 살펴보았어.
이기심
감각적 쾌락
지배욕
훗

기존의 절대적인 도덕은 그러한 가치들을 깎아내리고 경멸해 왔어.
툭툭
도덕

이는 동시에 삶을 깎아내리고 경멸하는 결과를 낳았지.
도덕
퍽

하지만 우리의 삶은 신체와 분리될 수 없고, 자기애에서 출발하며,

힘에의 의지의 본성에 충실해.

그래서 니체는 기존의 도덕을 '데카당스 도덕' 이라고 불러.
데카당스 도덕

데카당스란 원래 퇴폐적이고 염세적인 예술주의를 말해.
데카당스

그러면 데카당스 도덕이란 삶을 부정하는 퇴폐적이고 염세적인 도덕을 의미하겠지?
찍찍
찍찍

니체가 기존의 절대적 도덕을 '데카당스 도덕' 이라고 부른 것은
절대적 도덕
데카당스 도덕!

기존의 절대적 도덕이 선과 악이라는 이분법적 사고로 세계를 바라보며
절대적 도덕
선
악

삶을 부정하고 가상의 세계에 모든 의미와 가치를 부여했기 때문이야.
가치
의미

니체는 이러한 데카당스 도덕을 없애고 새로운 도덕을 세우자고 제안해.
New
New

이것이 바로 주인 도덕과 노예 도덕이란다.
주인 도덕
노예 도덕

주인 도덕은 자기 자신의 가치를 긍정하고
나는 할 수 있다.

스스로 가치를 창조해 나가는 자의 도덕을 의미해.
야호~

노예 도덕은 반대로 자기 자신의 가치를 긍정하지 못해서
난 안 돼.
도저히 못하겠어.

다른 존재에 자기 자신을 의존할 수밖에 없고,
도와주세요!

그래서 스스로 가치를 창조하지 못하는 자의 도덕을 의미하지.
굽신 굽신
생명의 은인이세요.

즉 주인 도덕이 삶을 긍정하고 끊임없이 자기 자신을 상승시키려고 노력하는 도덕이라면
더
할 수 있어.
자신
삶

노예 도덕은 삶을 혐오하고, 그래서 다른 존재에게 자기 자신을 내맡겨 버리는 도덕이야.
존경합니다.
자신
삶
자신

하지만 우리가 주인 도덕과 노예 도덕에 관해 생각할 때 잊지 말아야 할 것이 있어.

우리가 한때 주인 도덕을 갖고 살아갔다 하더라도
할 수 있어.

어느덧 그러한 삶에 만족하고 더 이상 아무것도 원하지 않을 때,
이제 더 이상 바랄 게 없어.
내 집 마련

우리는 즉시 노예 도덕을 갖게 된다는 것이야.
여기에 만족해.

그래서 주인 도덕과 노예 도덕을 귀족이나 왕들이 가진 도덕이나 노예, 피지배층이 갖는 도덕이라고 생각해선 안 돼.
내가 아니라고?
나도 아냐.
아니죠~
주인도덕
노예도덕

니체가 말한 강자가 귀족이나 왕과 같은 권력자를 의미하지 않고 약자가 노예와 같은 피지배층을 뜻하지 않듯이 말이야.
진정한 승자.
약자.
할수있어
못해

왕이나 귀족 같은 권력자라 하더라도 그들이 현재에 만족하고

그저 자신의 지위를 현 상태로 유지하기만 바란다면
딩가 딩가

그들은 노예 도덕을 지니고 있으며 더 이상 강자가 아니지.

반대로 생각해도 마찬가지야.
노예
주인

노예와 같은 피지배 계층이라도 권력자의 힘에 굴복하지 않고
더 이상 썩은 빵만 먹고 살 수 없어.

싸우려는 용기를 갖는다면 그들은 주인 도덕을 지닌 자들이며 더 이상 약자가 아니야.
와 아 아 —

이렇게 니체는 '선과 악'을 넘어 삶의 주인이 되라고 요구해.
삶의 주인이 된다는 것은 삶을 사랑하는 것을 의미해.

자신을 긍정하고 자기만의 가치를 창조해 나갈 때 우리는 삶을 사랑할 수 있어.
해냈다!

그런 사람에게 '선과 악'이란 그저 자신의 삶을 넓히고 더욱 풍성하게 하기 위한 하나의 도구일 뿐이야.
선
악

제9장 춤추고 웃는 법을 배워라!

지금까지 우리가 차라투스트라에 대해 너무 심각한 이야기만 한 것 같구나.

이번엔 분위기를 좀 바꾸어 볼까 해. 춤과 웃음에 대한 이야기를 할 참이거든.

그렇다고 춤과 웃음이란 주제를 만만히 보면 안 돼.

어쩌면 니체는 우리에게 즐겁게 웃으며 춤추는 법을 알려 주기 위해 이 책을 썼다고 할 수도 있으니까 말이야.

철학자가 우리에게 전하는 것이 고작 춤과 웃음이라니 조금 이상하기도 할 거야.

춤과 웃음이 뭔지
이해하려면
차라투스트라가 말하는
비행술에 대해서 살펴볼
필요가 있어.

'언젠가 사람들에게 나는 법을 가르치는 자는 모든 경계석*을 옮겨 놓고 말 것이다.
모든 경계석이 스스로 그의 눈앞에서 하늘로 날아갈 것이고, 그는 이 대지에
'가벼운 것' 이라는 이름으로 다시 세례를 베풀어 줄 것이다.'

* 경계석 – 경계를 나타내기 위해 세운 돌.

세상을 '가벼운 것' 이라는 이름으로
세례한다는 말의 의미는 무엇일까?

또 세상을 무겁게
받아들인다는 것은
무슨 뜻일까?

이 세상과 삶을 무겁게 인식하는 자를
니체는 '중력의 영' 이라고 부른단다.

중력의 영은 항상
투덜대기만 하며,

중력의 영은 세상과 삶을 저주하게 만들지.
온갖 규율과 도덕으로 우리를 무겁게 내리누르면서
말이야.

그렇게 우리를 옭아매는 자가
바로 중력의 영이란다.

그렇게 중력의 영은 사람들의 어깨에 올라타 사람들을 날지
못하게 해.

그래서 나는 법을 가르치려는 차라투스트라에게
중력의 영은 최대의 적이라고 할 수 있어.

*불구대천 – 이 세상에서 같이 살 수 없을 만큼 큰 원한을 가졌다는 뜻.

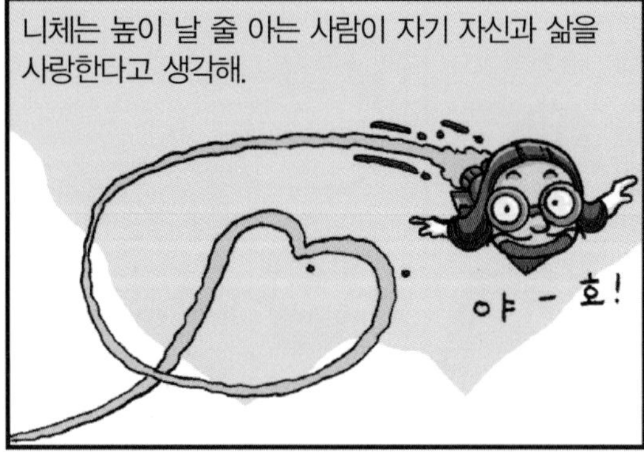

하지만 차라투스트라의 그러한 가르침을 듣고 선뜻 동의하기란 쉽지 않을 거야.
동의하는 사람?
흠~

여러 가지 의문이 들겠지.

모든 관습과 도덕을 거부한다면 이 세상이 혼란스러워지지 않을까?
광
우당탕탕

오랫동안 유지된 관습이나 도덕이라면 그만한 가치가 있지 않을까?
관습
도덕
전통

계속 새로운 가치가 만들어진다면 피곤하지 않을까?
이미 충분해!
전통

어차피 기쁨보다 고통이 많고, 언젠가 죽음을 맞이할 수밖에 없는 것이 인간의 삶이라면
선생님~.

그냥 편하게 살면 안 되나? 등등. 수많은 의문이 자연스럽게 생겨날 거야. 하지만 현재에 만족한다면 더 이상 새로운 삶은 주어지지 않아.
이대로가 좋은데….
내가 필요 없겠군.
새로운 "삶"
관습
도덕

그저 주어진 대로 적응하며 아무것도 원하지 않고 현 상태에 만족하는 무사안일주의를 니체는 가장 혐오했단다.

우리가 앞에서 살펴보았듯 인간은 극복하며 살아가야 하는 존재야.
공부할까?
놀까?

비행술이야말로 힘에의 의지에 충실한 삶의 자세를 보여 주는 차라투스트라의 훌륭한 비유라고 볼 수 있어.
더 많이, 더 강하게~!

날기 위해선 큰 결단과 용기가 필요해.

중력의 영이 지닌 공포스러움은 그것이 우리에게 강제로 힘을 행사하지는 않는다는 점이야.
말리지 않아!
New

오히려 중력의 영은 쉽게 포기하려는 마음, 새로운 도전 앞에서 느끼는 두려움, 기존의 편안한 일상에 자리 잡고 있어.
털썩
하지만 꽤 위험한데 괜찮겠어?
New

그렇기 때문에 중력의 영은 우리에게 친숙하고 편하지.
달콤한 말에 현혹되지 마!
공부

하지만 그 달콤한 유혹에 굴복한다면
크 캬캬!

우리의 삶은 더 이상 새로워지지 못한 채 고여서 썩고 말 거야.
I'll be Back.

게다가 온통 썩어서 시궁창이 되어 버린 삶에서 쉽게 벗어나지도 못할 테지.

파리에게 시궁창이 더 안락하고 편하듯이 우리에게는 오래된 도덕과 관습이 지배하는 세계가 안락하고 편안한 집일 테니 말이야.
편하잖아~.
관습
도덕
편해~.
찍찍

중력의 영을 이기는 것이 얼마나 힘겹고 어려운지 알겠지?
하지만 너무 어렵게 생각하진 마.

차라투스트라가 우리에게 가르치는 비행술은 많이 생각하고 고민해서 터득할 수 있는 게 아니야.
번지
너무 고민하지 말라고!
10시간 경과

차라투스트라의 비행술의 비밀은 춤과 웃음에 있어.
춤
웃음

즐겁고 유쾌한 비행술만이
중력의 영을 이길 수 있지.
하하하
쿡!

자, 그러면 춤과 웃음을 동력으로 하늘을
나는 비행술에 대해 알아보자.

차라투스트라가 가르치는
비행술의 첫 번째 원칙은 바로
이거야.
자기 자신의
삶을 사랑하라!

차라투스트라가 가르치는 비행술은 무조건 기존의
편협한 세계를 벗어난다고 터득할 수 있는 게
아니야.
후다닥

자기 자신을 혐오하고 자신의 삶을 부정하면서 새로운
세계로 날아가려는 자는 반드시 실패하게 마련이란다.
엄마~

삶을 부정하고 자신이 사는 세계를 증오하면서
그 세계 밖으로 나가는 자는 마음속에 복수심과 원한을
품게 돼.
다
너 때문이야.

복수와 원한의 감정은 자신이 맞이할 새로운 삶마저
복수와 원한으로 오염시킨단다.
우쒸-!
저렇게 삶을
부정하는 것이
중력의 영이 가진
속성이야.

따라서 삶을 부정하며
중력의 영으로부터
벗어나기란 불가능해.

부정을 통해 날아가려는 시도는 번번이
실패하여 우리를 추락시키고 말 거야.
또!

니체는 그래서 다음과 같이 말한단다.
가벼워지기를 바라고 새가
되기를 바라는 자는 먼저 자기
자신을 사랑하지 않으면 안 된다.
이것이 나의 가르침이다.

자신의 삶을 사랑하는 사람은 기존의 삶에서 벗어나 날아오를 때 어떠한 원한과 복수의 감정도 남기지 않고 훌훌 털어 버리지.
미련 없이 떠난다.

자신의 날개를 펴고 날아올라 높은 곳의 새로운 대기를 아름답게 수놓을 줄 알아.

삶을 새롭게 하려는 자는 당연히 아름다운 삶을 만들 거야.
예쁘게 다듬자.
깡
깡

그렇지 않다면 중력의 영을 극복하려는 노력이 아무런 의미도 없겠지.
그만할까?
스~윽
후유,

차라투스트라는 우리에게 즐겁게 비상하라고 해.
우리(하늘과 나)는 온갖 것을 함께 배웠다.

우리 자신을 뛰어넘어 상승하는 법과 해맑게 미소 짓는 법을 함께 배웠다.

우리의 발아래서 강제와 목적, 그리고 죄과라는 것이 마치 비처럼 자욱한 김을 내뿜을 때,
강제
목적
죄과

밝은 눈을 하고 먼 곳에서 아래를 내려다보며 해맑게 미소 짓는 법을 배웠다.
하하하

즐겁게 비상할 때 우리는 서로 웃으면서 만날 수 있을 거야.
안녕.

그야말로 어떠한 원한과 복수심도 없는, 삶에 대한 증오와 혐오가 없는,

중력의 영을 떨구어 낸 만남을 통해 우리는 진정한 친구가 될 거야.
하
하
하
하

차라투스트라가
가르치는 비행술의
두 번째 원칙은 이거야.
심각해지지
말 것!

우리는 웃고 춤추며 즐거워하는 행동을
경박하다고 생각하는 경향이 있어.
퍽!
호호호

더군다나 세상에 대한 지혜를 가르치는
철학자가 웃고 춤추라고 말한다면
더 이해할 수가 없겠지.

깊은 고민의 표정을 지은
철학자의 얼굴은 쉽게
상상이 가.

반면에 웃음꽃을 피우고 있는
철학자라니 뭔가 이상하지 않니?
하하
하하

고민만 일삼는 철학자들도 사실
차라투스트라처럼 우리에게 새로운 삶을
창조해 낼 것을 말하고 있어.
이봐,
좀 웃으라고!
데카르트
칸트

그런 철학자들은 차라투스트라에게 삶을
좀 더 진지하게 대하라고 역설하겠지.
진지해질 수는
없냐!
버럭!

여러분들도 좀 헷갈리지?
왠지….

사실 차라투스트라가 조금 경박하게
느껴지기도 할 거야.
내가
어때서!!

이마에 깊은 고민의 주름을 가진 철학자들은 차라투스트라에게 이렇게 말할 테지.
그대는 너무
경박하지 않소?
삶을 사랑한다면 삶을
진지하게 대해야
하지 않겠소?
중력의 영의 원한과
증오, 낡은 도덕들로부터
삶을 구원해야지!
그러려면 우리는
삶에 대해 좀 더
진지하게 생각하고
깊이 고민해야 하지
않겠소?
흥!

그러나 차라투스트라는 그런 철학자들을 심히 불쾌해할 거야.
벌떡
불쾌하군!

심각한 동물들한테서는 고약한 냄새가 나는 법이라면서 말이지.
고약한 '냄새까지!
!

여기서 그 '심각한 동물' 들에 대한 니체의 말을 들어 보도록 하자.
우 당탕탕

대다수 인간의 지성은 잘못 움직이고 둔중하고 음울하며 삐걱거리는 기계다.
끼기 기기긱,

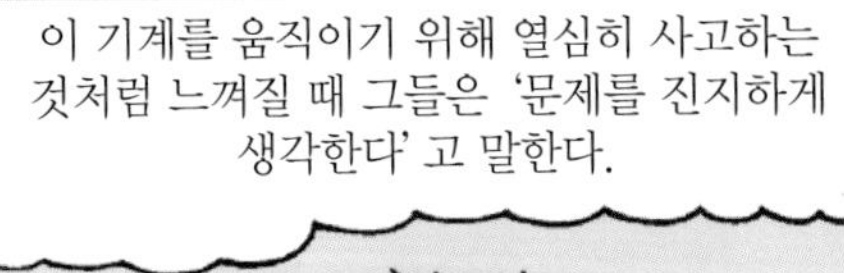
이 기계를 움직이기 위해 열심히 사고하는 것처럼 느껴질 때 그들은 '문제를 진지하게 생각한다' 고 말한다.

끼기긱
끼기긱
끼긱

이 사랑스런 '인간 동물' 은 생각하는 것을 기분이 음울한 상태에 있는 것으로 이해한다.
끼기 기긱
생각한다 ?
=

그래서 웃음과 즐거움이 있는 곳에서의 사고를 무익하다고 말한다.
호호호
쓸데없이!

이는 '즐거운 지식' 에 대한 심각한 동물들의 편견이다.
즐겁게.

차라투스트라가 심각한 철학자들을 기계라고 비유한 것은 그만큼 그들의 사고가 경직되고 생명력이 없음을 비꼬기 위해서야.
끼기기기기기긱!
기름칠 좀 해라!

하지만 우리가 고작 얼굴에 짙은 고민의 표정을 만들기 위해 사는 것일까?

니체는 저 심각한 동물들이 우리의 삶에 그늘을 만들고 우리의 생명 의지를 감소시킨다고 주장해.
주우우욱

무엇보다 그들은 솔직하지 못하지.
아무것도 아니야!
?

여러분도 한번 생각해 봐. 만약 여러분이 좋아하는 친구와 심각한 대화만 나눈다면 어떨까?
영희한테 차였어!
또 시작이군.

만약 여러분이 부모님과 늘 진지하고 심각하게만 지낸다면 어떨까?
또 빵점이래요.
누굴 닮아 그런 건지.
숨 막혀.

다른 사람들을 따분하고 숨 막히게 하는 게 분명 사랑은 아닐 거야.
사랑해!
숨 막혀!

어떤 사람을 사랑한다면 또 어떤 것을 사랑한다면 우리는 그들과 최대한 즐겁고 유쾌한 시간을 가져야 해.
야-호!

사랑은 상대방의 얼굴에 고민의 주름을 만드는 것이 아니라 기쁨의 표정을 새겨 넣는 것이니까 말이야.

차라투스트라는 처음부터 나는 법을 배울 수는 없다고 말해.
알려 줘요!
아직 일러.

나는 법을 터득하기 위해서 우리는 먼저 춤추는 법, 그리고 웃는 법을 배워야 해.
먼저 배우도록.
춤
웃음

심각하거나 우울해하지 말고 경쾌하고 즐거워하며 가벼워지는 거야.

그게 중력의 영을 죽이는 방법이란다.

나는 춤출 줄 아는 신만을 믿으리라. 그리고 나의 악마를 보았을 때 나는 그 악마가 엄숙하고 심오하며 장중하다는 것을 알았다.
크아!

그것은 중력의 영이다. 그로 인해 모든 사물은 나락으로 떨어진다. 나는 분노가 아닌 웃음으로 중력의 영을 죽인다.
픽
하
하
하
하

언젠가 차라투스트라는 제자들과
숲 속을 가다가 숲 속에서
춤추는 소녀들을 만났어.

소녀들은 차라투스트라와 그의 제자들을 보고
놀라 춤을 멈췄지만, 차라투스트라는
소녀들에게 계속 춤을 춰 달라고 부탁하지.
부탁혀~.
쑥쓰-

그리고 그 춤에 노래를 지어
부르기 시작해.
제목
나의 강력한 악마
중력의 영에게
바치는 춤,
노래이자
조롱의 노래

차라투스트라는 중력의 영에게
가장 강력한 무공인 춤과 웃음의
신공을 선보였던 거야.
얍!
춤과 웃음
쿡

차라투스트라는 심각한 얼굴로
자유와 사랑을 말하는 사람을
믿지 않아.
자유
사랑
흥

사뿐사뿐한 발걸음으로 환하게 웃으며
춤출 줄 아는 사람만이 진정한 자유와
사랑을 체험하고 있는, 그래서 그에 대해
잘 알고 있는 사람이지.

하지만 차라투스트라가 처음부터
그렇게 춤과 웃음의 달인이었던
것은 아니야.
0
1
어기적
어기적

우리는 이 책을 읽으며
차라투스트라가 얼마나 많은
고통과 고민 그리고 번민을
가졌는지 살펴볼 수 있어.
차라투스트라는
이렇게 말했다

그는 처음에 중력의 영에게 얼굴을
찡그렸고, 세계를 오염시키는 수많은
사람들을 역겨워했으며

그러다 그들이 가여워
비통하게 울기도 했단다.
으아앙ー

사람들에게 상처받고 산으로
다시 올라가기도 했지.
미워~.

그러고 보면 이 책은 차라투스트라가 춤과
웃음을 배워 가는 이야기, '차라투스트라의
쉘 위 댄스'라고 해도 무리가 없을 것 같아.
쉘 위
댄스?

차라투스트라가 말하는 춤과 웃음은
영원 회귀의 끔찍한 사상을 극복한 자의 모습에서도
볼 수 있었어.
하하하

모든 것이 반복된다는 엄청난 고통의 사상인
영원 회귀는 인간의 삶을 가장 무겁게 짓누르는
현실이야.
크헉

차라투스트라도
영원 회귀 사상
앞에서 어찌할 수가
없었지.
털썩

그러나 그는 영원 회귀 사상을 적극적으로
긍정하면서 춤과 웃음으로 삶을 가볍게 할 수
있었어.
감사

차라투스트라의 춤과 웃음은 바로
그렇게 삶을 긍정하는 사람이 가진
몸짓이야.
하하하
긍
정

우리는 춤과 웃음을 통해 어떤 사람이 자기 자신을
극복하고 삶을 절대적으로 긍정하는 자인지
아닌지를 판별할 수 있지.
호호호
삶을
긍정하고
있구나.

차라투스트라가 가르치는 비행술은 그렇게 자기 자신을
극복해 나가는 기술이자 삶을 유쾌하게 긍정하는
모습이라고 볼 수 있어.
멋진
세상이다.

춤과 웃음은 비행술의 가장
중요한 원리야.
중요해.
춤
웃음

그럼 이번엔 변신에 관한
이야기를 해 볼까?
변신
민망해.
큭

니체가 이 책을 통해서 우리에게 전하고 싶은
가장 중요한 메시지는 '위버멘쉬'가 되어야
한다는 것이야.
차라투스트라는
이렇게 말했다
위버멘쉬가
되자
척

우리는 아직 위버멘쉬에 대해서 살펴보진 않았어.

하지만 사실 신의 죽음에서부터 지금까지 우리는 이미 위버멘쉬에 대해 많은 것을 배웠단다.

그러니까 지금까지 위버멘쉬가 되는 법을 배우기 위한 기초적인 기술을 연습해 왔다고 보면 돼.

축구 선수가 되고 싶다고 바로 필드에 나갈 수는 없잖아?

그렇듯 우리는 위버멘쉬가 되기 위한 연습을 해 왔던 거야.

그리고 이 장의 앞부분에서 비행술에 관해 살펴보았지.

비행술은 자기 자신을 끊임없이 극복하는 위버멘쉬가 되기 위한 가장 중요한 운동 원리야.

그리고 비행술은 변신술의 또 다른 표현이기도 해.

자기 자신을 뛰어넘을 때 우리는 새로운 존재로 변신하지.

차라투스트라가 말하는 변신 이야기는 새로운 존재인 위버멘쉬의 또 다른 이미지를 이야기하고 있어.

그럼 차라투스트라가 가르치는 변신 이야기를 들어 보자.

먼저 낙타에 대해서
살펴보자.

낙타는 아무리 뜨거운 뙤약볕이 내리쬐도,
아무리 무거운 짐을 싣더라도 꿋꿋이
참고 견뎌 내.

어떠한 상황에서도 낙타는
주인에게 '아니요.'라고 말하지
않는단다.
좀 쉴까?
괜찮아요.

우리는 낙타의 그런 성실함과
헌신에 감탄하지만,
힘들지!
괜찮아요.
와~아

사실 낙타는 스스로 자신의 삶에
가혹한 고문을 가하고 있어.
콱

니체는 우리 인간들 중에도 낙타와
같은 정신을 지닌 자들이 있다고
말해.
전생에
낙타였수?
=

즉 자신의 삶을 스스로 고통스럽게 만들면서 그 고통을 그저 받아들이고
'견뎌 내야 할 것'으로 생각하는 노예 정신을 지닌 자들이 바로 그들이야.
고생이
많다.
상이다
휙
고맙습니다,
주인님.

차라투스트라는
나귀라는 동물에
대해서도 말한단다.
나귀

나귀는 '이-아'(I-a)라고
우는데 그 소리는
독일어로 'Ja',
우리말로는 '예'와 비슷해.
독일어 'Ja'
우리말 '예'

나귀 역시 주인의 명령에 항상
'예'라고 답하는 동물이야.
오늘은
밥 없다!
옛썰!

니체는 낙타나 나귀와 같은 정신을 지닌 자들은
자신의 삶을 더 높은 차원으로 고양시키지
못한다고 비판해.
뭐든지
시켜 주세요.
그런 의미에서
니체는 노예적 삶을
비판하는 거야.
딸랑
딸랑

두 번째 동물은 사자야. 사자는 낙타와 반대로 남의 말을 죽어도 듣지 않는 동물이야.

옜다.

즉 누구의 명령도 따르지 않고 오직 자기 자신의 욕망을 신뢰하겠다는 것이지.

욕망

우리는 그런 사자의 '아니요.'를 배워야 한다는 거야.

물론 사자의 정신을 지니려면 우리는 수많은 위협과 유혹을 이겨 내야 해.
콕
대기 중

스스로 자신만의 욕망에 따른 가치를 창조하고 그것을 세상에 당당히 내세운다는 것은 분명 어렵고 힘든 일이야.
아무것도 아니야….

하지만 사자의 정신은 신과 함께하며 안락하기보다는 기꺼이 고독과 굶주림을 선택해.
같이 먹자.
배 안 고파.
꼬르륵

용의 명령과 유혹을 거부하고 자기 삶의 주인이 되었지만 과연 사자가 용을 이길 수 있을지는 의문이야.
VS

사자는 낙타처럼 비굴한 노예는 아니지만 그의 삶이 유쾌하고 즐거워 보이지는 않아.
싱글벙글
감사
캬오~

진정한 승리를 이루었다면 사자의 얼굴에 그토록 많은 고민과 고통의 흔적이 계속되는 이유가 무엇일까?
해야만 한다.
또냐?
헉
헉

그가 싫어하는 것만을 즉 '아니요.'라고 부정하는 법만을 알고 있을 뿐, 삶을 긍정하지 못하고 있기 때문이야.
무조건!

삶을 긍정하지 못할 때 우리는 춤을 출 수도, 웃을 수도 없지.
안 돼.
춤
웃음
비행술

춤과 웃음이 없는 자는 비행술을 익힐 수 없고, 하늘을 나는 용을 절대로 이길 수도 없어.
일단 피하자!
크르르릉
후다닥

그러나 사자는 긍정할 줄 모르기에 진정한 승자가 되지 못했지.

크릉
스르르-
헉! 헉

어린아이는 용을 보고도 웃음을 지을 거야.

크르르~.

까르르..

사자에게 용이 커다란 부정의 대상이요 적이었다면, 어린아이에게 용은 그저 웃음거리, 놀잇감일 뿐이지.

까르르~

변신술과 비행술을 통해 긍정하는 자가 되어야 함을 우리에게 가르칠 때, 그는 이미 위버멘쉬에 대한 가르침을 시작하고 있어.

그럼 이제 '위버멘쉬'에 관해 살펴보자.

헉

헉

문제없어

불쑥

제10장 위버멘쉬

지금까지 차라투스트라의 가르침을 거의 다 배웠어.
차라투스트라는 우리에게 '신은 죽었다.' 고 선언했지.
신은 죽었다.

그가 말한 신의 죽음은 지금까지 우리의 삶을 지배해 온 낡은 도덕과 형이상학, 신앙, 가치 등과 같이 삶을 부정해 왔던 모든 것에 대한 사망 선고임을 알고 있겠지?
너희는 죽었다.
도덕
가치
쾅 쾅

자, 그러면 어떻게 하란 말일까?

그것들이 우리의 삶을 부정해 왔고 우리로 하여금 허구의 세계를 꿈꾸게 해 왔다는 사실을 받아들인다 해도
도덕
가치

우리가 그러한 삶의 조건 속에서 살아온 것 역시 부정할 수 없는 현실이잖아?
엄연한 현실.
법

만약 모든 것을 부정해 버린다면 우린 허공 위에 떠 있어야 하지 않을까?

인간은 '나는 누구인가?' 혹은 '나는 어디서 왔을까?'와 같은 질문을 던지는 이상한 동물이야.
어디서 왔소?

그리고 그러한 질문에 대해 찾아낸 답이 바로 신이나 도덕이었지.
도덕
"정 답"

그런데 그것들을 모두 없앤다면 커다란 혼란이 벌어지지 않을까?
신
도덕
풍덩

니체야말로 이 점에 대해서 누구보다 많은 고민을 했을 거야.
왜냐하면 니체는 바로 신의 죽음을 가장 먼저 인식한 사람이었으니까.

니체는 이 어려운 문제를 어떻게 해결했을까?
난이도 상

우리는 대체로 상황의 일부만을 보기가 쉬워.
작은 산이다.

여러분이 전학을 가서 친한 친구들과 헤어지게 되었다고 해 보자.
안녕~.

친했던 친구들, 선생님들과 헤어지는 것은 물론 무척 힘들고 슬픈 일이야.

하지만 전학을 가면 또 다른 친구들과 선생님들을 만나게 될 거야.
김 지 혜
반가워.

전학은 한편으론 친했던 이들과의 이별을 가져오지만 또 다른 한편으론 새로운 만남을 가져오지.
훌쩍
잘 지내.
훌쩍
반가워.
전 학
이 별
만 남

니체가 생각했던 것도 이와 마찬가지야.
해답
찾았다!

지금까지 인간들에게 삶의 이유가 되었던 신이 죽었다면 삶의 이유가 사라진 셈이지만
이제 어쩌지?

그건 신의 죽음이란 사건의 한 면만을 본 것이야.

니체는 신의 죽음이라는 사건의 또 다른 면을 보라고 권유해.
부스럭
부스럭

니체는 신의 죽음에서 새로운 존재의 탄생을 희망한단다.
뿅

그 새로운 존재가 바로 위버멘쉬야.
짜잔~

위버멘쉬는 독일어야. 영어로 번역하면 superman이나 overman 정도이지.
'위버멘쉬'
'슈퍼맨'
'오버맨'

우리나라에선 그동안 위버멘쉬를 '초인'이라고 번역해 왔지만
위버멘쉬
초인

초인이란 단어가 적절하지 못하다는 학자들의 의견에 따라 원어인 '위버멘쉬'를 그대로 사용하고 있단다.
위버멘쉬
초인
스윽

그동안 사람들은 니체의 위버멘쉬를 오해해 왔어.
달라.

물론 번역 탓도 있지.
위버멘쉬
초인
아니야!

초인이라고 하면 공중 부양을 하거나 미래를 내다보는 특별한 사람을 생각하기 쉽잖아.
조심!
하라니까.

하지만 니체는 절대로 그런 의미로
위버멘쉬를 말한 것이 아니란다.
달라!
위버
멘쉬

그럼 도대체 신이 죽은 자리를 대신할 새로운
존재, 위버멘쉬는 무엇일까?
수고하렴.

이제 본격적으로
위버멘쉬에 대해
알아보도록 하자.

차라투스트라는 아래와 같이
위버멘쉬를 정의했어.
나는 너희에게 위버멘쉬를
가르치노라. '사람은
극복되어야 할 그 무엇이다.'

이 짧은 말에서 차라투스트라는 위버멘쉬가 되기
위해서 인간은 자기 자신을 극복해야 한다고
말하고 있는 거야.

사실 이러한 정의는 이미
위버멘쉬란 글자에도
드러나 있어.
Übermensch

독일어로 'Über'는 영어의 'over'와 같은 말로 '~을 넘어서'라는 뜻이야. 그리고
'mensch'는 영어로 하면 'man' 즉, 인간이란 뜻이지.
'Über' = 'over'
~을 넘어서다
'mensch' = 'man'
인 간

따라서 위버멘쉬는 곧
'인간을 넘어섬', '인간을
극복함' 정도가 될 거야.
와,
아.

그런데 뭔가 이상하지 않아? 인간을
넘어선 존재, 인간을 극복한 존재는
결국 신이 아닐까?
나랑
같네.

신은 아니더라도 초능력을 지닌 초능력자나 스파이더맨 정도는 되어야
인간을 넘어섰다고 말할 수 있지 않을까?

그런데 니체가 말한 위버멘쉬는 초능력을 지닌 특별한 존재도 아니며 신은 더더욱 아니라고 앞서 얘기했어.

그럼 도대체 니체와 차라투스트라가 말한 위버멘쉬란 어떤 존재일까?

위버멘쉬를 이해하기 위해서 우리는 먼저 '인간을 넘어선다.'는 말을 올바르게 이해해야 해.

인간을 넘어선다는 의미는 다윈의 진화론처럼 인간 종의 생물학적 진화를 뜻하는 것이 아니야.

인간을 넘어서야 한다고 말할 때 니체는 '인간적인 것'을 넘어서라는 뜻이었어.

인간적이라는 건 더 이상 자신의 힘에의 의지에 충실하지 않음을 의미해.

니체에게 이 세계의 가장 핵심적인 진리는 곧 '대지'야.

힘에의 의지는 대지의 본성이지.

니체가 말하는 대지란 인간이 만들어 낸 '천상의 세계', '형이상학적 세계'와 같은 가상의 세계에 대립하여 우리 앞에 실제로 존재하는 '있는 그대로의 세계'를 의미해.

우리는 우리 앞에 놓인 대지가 어떻게 생겨났는지, 앞으로 어떻게 될 것인지 알 수 없어.

대지는 그저 우리가 발을 딛고 있는 곳이고 우리가 태어난 곳이며 죽을 곳이지.

니체에게 유일하게 인정받는 '신'이 있다면 그것은 곧 대지일 거야.
너라면 인정해.

그런데 인간만이 대지에서의 삶을 거부하고 헛된 가상의 세계를 만들어 냈지.
헉헉~

그리곤 가상 세계의 주인인 신까지 만들어 냈어.

그렇게 인간은 대지의 건강함을 해치고 오히려 대지를 병들게 했지.

차라투스트라는 이렇게 말해.
보라, 나는 그대들에게 위버멘쉬를 가르치노라. 위버멘쉬는 대지를 의미한다. 그대들은 이렇게 말해야만 한다. 위버멘쉬는 대지를 의미한다고!

나의 형제들이여, 내가 그대들에게 명하노니, 대지에 충실하라.

그리고 그대들에게 대지를 초월한 희망에 대해 말하는 자들을 믿지 말라! 그들이 의식적으로 행하든 무의식적으로 행하든 그들은 독을 타는 자들이다.
안 돼!

위버멘쉬는 곧 대지에서의 삶을 충실하게 살아가는 사람이야.

대지의 삶에 충실하기 위해, 대지의 본성인 힘에의 의지에 충실하기 위해 인간은 '인간적인 것'을 극복해야만 해.
있지도 않으니
지워 버리자.
큭.

힘에의 의지가 항상 더 많은 것을 원하고 더 많은 힘을 얻고자 하기 때문에
알지?

힘에의 의지를 추구해야 하는 인간의 신체는 현재의 자신을 끊임없이 극복해 나가야 하지.

그래서 대지에 충실하다는 것은 끊임없이 자신을 극복한다는 뜻이야.

그러나 니체가 보기에 인간은 자기 자신을 극복하는 삶을 살기보다는
도저히 못하겠어.
할 수 있어

그저 현 상태를 평온하고 안일하게 유지하고 싶어 해.
그냥 편하게 살래.

니체는 이런 인간을 경멸해야 할 인간상으로 제시했어.

그리고 그런 인간의 모습을 차라투스트라는 이렇게 표현해.
비천하기 짝이 없는 인간.
흥!

비천하기 짝이 없는 인간이란 곧 위버멘쉬와 정반대에 놓인 인간형이야.
아둥
바둥

이런 인간형을 극복해야 우리는 위버멘쉬를 이루어 낼 수 있어.
힘내.
평온
안일함
나약함

그럼 비천하기 짝이 없는 인간은 어떤 인간인지 차라투스트라의 설명을 들어 보자.
흠흠,

차라투스트라가 말하는 비천하기 짝이 없는 인간은 우선 첫째로 '창조'나 '신', '별'과 같은 것들을 동경하고 찬미하는 인간이야.

왜냐하면 이들은 신과 별이 있는 하늘만 바라보느라 그들을 낳고 길러 낸 어머니와 같은 대지를 왜소하게 만들어 버리고 마니까.

한마디로 '대지'와 '대지에서의 삶' 따위는 안중에도 없는 거지.

둘째로 비천하기 짝이 없는 인간은 이웃 사랑이나 형제애 그리고 동정이나 관용을 중시하는 사람이야.

이런 덕목들은 현대 사회에서도 올바른 것으로 여겨지지.

그러나 니체의 관점에서 이러한 덕목들은 개인의 힘에의 의지를 약화시키는 요소야.

우리가 선과 악에 대한 니체의 생각에서 살펴보았듯이, 전통적으로 중시되었던 도덕 법칙들은 우리로 하여금 자신에 대한 사랑인 건강한 이기심을 나쁜 것으로 규정하게 하고 다른 사람에게 의존하게 만들어.

니체는 다른 사람에게 의존하는 것을 '이웃 사랑'이라는 이름으로 찬미하지 않아.

그보다는 진정으로 자신을 사랑하는 자기애를 회복할 때 자신을 긍정하고 자신의 삶을 긍정할 수 있다고 생각해.

안락함과 편안함을
추구하는 자기 보존의
욕구는
음료수 좀
집어 줄래.
넌 손이
없냐?!

끝없이 변화하는 대지에 맞추어 자기 자신을
끊임없이 변화시키며 살아야 하는 대지에서의
삶을 고통으로 여겨.
공부
콱-!

위버멘쉬가 되려면 자기 자신과
끝없이 싸워야 해.

그 싸움은 자기 보존의 유혹을 거부하고
자기 자신을 끝없이 상승시키기 위한
투쟁이라고 볼 수 있어.
"자기 보존"

넷째로 비천하기 짝이 없는
인간은 평등을 추구해.
모두
중요.
사회적 평등
정치적 평등
경제적 평등

그러나 니체는 평등이란
약자가 강자에게 가지는
복수심에서 생겨났다고 말해.
복수심

복수심은 질투에서 비롯되지.

니체는 인간이 본질적으로
불평등하다고 생각해.
어쩔 수 없는
현실이야.

니체의 생각을 잔인하다고 여길
수도 있을 거야.
잔인해.
어쩔 수
없다니까.

하지만 니체가 말하는 위버멘쉬적인
삶이란 끝없는 자기 극복과
자기 상승을 추구하는 투쟁의
삶이라고 했지?

그러니 모두가 더 높은 인간이 되기 위해 서로
경쟁하고 전투를 벌여야만 하는 거야.
더 경쟁해!

하지만 싸움엔 항상
승자와 패자가 있을
수밖에 없잖아?
승

만약 평등을 추구한다면 자기 극복과 자기 상승을 위한 싸움을 포기해야 할 거야.
스윽
스윽

이렇게 비천하기 짝이 없는 인간은 그저 지금의 상태를 유지하고자 하는 자기 보존의 게으름,
매일 오늘만 같아라.

건강한 이기심과 자기애를 나쁘게 보는 이웃 사랑의 가치,
나눠 줘!
어렵게 모은 건데….

자기 극복의 끝없는 투쟁과 힘에의 의지들 간의 건강한 경쟁을 포기하게 만드는 평등의 원리 등을 중시해.
평등의 원리
모든 것을 작게 만들고 대지 역시 작게 만드는 인간.

차라투스트라가 말한 '작게 만든다.'의 의미는 이렇게 생각하면 될 거야.
그만할까?
"더 이상 상승하지 않고 정체하게 만든다."

혹시 뉴질랜드에 사는 키위라는 새를 아니?
여기 살아.
콕콕

키위의 서식지는 화산 지대라서 뱀과 같은 천적이 없고 먹이가 풍부해. 그러니 키위는 날아다닐 필요도, 멀리 봐야 할 필요도 없었지.
있을 곳이 못 되는군.

시간이 지나면서 키위의 날개와 눈은 퇴화해 버렸단다.

한때 창공을 날아다니며 먼 곳을 내다보았던 새가

이제는 한 치 앞도 보지 못하고 주둥이를 땅에 박고 다니는, 새 아닌 새가 되어 버린 거지.
툭

키위가 바로 비천하기 짝이 없는 인간의 전형이야.
동지.
콕

키위가 드높은 창공을 날면서 바라보았던 넓은 세계를 포기하고
경치
좋다.

편안한 삶을 위해 고작 코앞의 땅만큼의 세계를 택했듯이
요기까지 내 땅.
스윽

비천하기 짝이 없는 인간은 모든 것을 작게 만들어 버리는 아주 옹졸하고 무능력한 인간이야.
비슷하네.
내 땅이 더 넓은걸?

그런 인간이 한심한 이유는 무엇보다도 그렇게 무기력하고 옹졸한 현재의 상황을 바꾸려 하지 않고 오히려 그러한 상황이 지속되기를 바라기 때문이야.
필요 없어
틱!

이런 유형의 인간들은 우물 속의 개구리마냥 자신들의 좁은 세계를 절대화하고

더 높은 인간의 위상과 그런 인간이 창조할 수 있는 새로운 세계를 바라지 않아.
여기보다 넓은 세상이 있을까?
말도 안 돼.

우물 속의 개구리에게 아무리 우물 밖의 드넓은 세계에 대해 알려 준다 해도

개구리는 우물을 벗어나려 하지 않는다는 거야.
여기가
편해.

차라투스트라는 이런 개구리 같은 군중에게 위버멘쉬를 가르치고자 했단다.
이제 알겠지?

그리고 그는 비천하기 짝이 없는 인간에 대해 말하면서 그런 인간형이 얼마나 추악한지 설명했어.

그러자 군중은 오히려 환호성을 지르면서 이렇게 말했어.
그러면 비천하기 짝이 없는 인간을 우리에게 보여 다오.
오, 차라투스트라여, 우리를 종말의 인간으로 만들어 다오!
그러면 우리는 그대를 위버멘쉬라고 부르리라.

이렇게 우매한 개구리 같은 인간들은 오히려 누군가가 더 좁고 더 깊은 우물로 인도해 주길 바라.
여기도 조금 넓은 것 같아, 그치?
더 아늑한 곳은 없을까?

차라투스트라는 그들이 위버멘쉬의 길을 깨달을 수 없음을 알고
크——악

그 우매한 무리를 떠나지.

차라투스트라는 비천하기 짝이 없는 인간과 우매한 군중의 가장 큰 문제점이 스스로를 경멸할 수 없다는 데 있다고 말해.
이렇게 멋진 부리 봤어?
만물의 영장.
미끈한 나의 몸.

스스로 경멸할 수 없기에 자신의 문제점을 고민하고 반성할 수도 없지.
꽃보다 우리

문제점을 인식하지도 못하는데 그 문제점을 극복할 수 있겠니?

결국 비천하기 짝이 없는 인간과 우매한 군중에게는 변화와 자기 극복의 가능성이 전혀 없어.
가능성이 없구먼.
꽃보다 우리

그저 자기 만족에 빠진 채 수많은 군중 속에 자기 자신을 숨기고 싶어 하지.

차라투스트라는 우매한 군중을 단호히 거부해야 한다고 말해.
만나기 싫어!

그런 무리 속에서는 사람들 간의 차이,
즉 개성이 말살되고
개성

자신의 삶의 의미와 가치를 창조해 내기보다는 집단을 하나로 묶어
줄 수 있는 집단적인 가치나 강한 힘을 가진 지도자를 숭배하거든.
와-아
와-아

니체는 그가 살던 당시
유럽에서 일어났던 파시즘을
강하게 비판하기도 했어.
파시즘

특히 서서히 세력을 넓혀 가던
나치즘을 굉장히 혐오했지.

나치야말로 히틀러라는 한 명의 지도자를
숭배하면서 유럽의 제패와 반유대주의를
부르짖는 집단주의였으니까.
척
척

그러나 니체의 위버멘쉬 사상은
그동안 나치에 이론적 토대를
제공했다고 오해받았어.
위버멘쉬
위버멘쉬

그런 오해가 만들어진 데는 니체의
여동생이었던 엘리자베트 니체의
탓이 컸지.
위버멘쉬

그녀는 니체가 말한 위버멘쉬가
히틀러를 의미한다고 말하기까지
했어.
당신 거예요.
호오-

사람은 끊임없이 자기
자신을 더 강한 존재로
만들어야 하며
합
헙
핫

열등한 존재는 당연히 도태된다고 말한
니체의 사상은 나치의 인종주의와
잘 맞는 것 같기도 해.
졌다.

하지만 니체의 강자란 인종이나 권력,
부에 따른 기준으로 정해지는 것이
아니야.
때!

니체가 우리에게 위버멘쉬를 가르치면서 좀 더 강한 존재가 되어야 한다고 말할 때, 그것은 정신적으로 항상 깨어 있으라는 뜻이야.

히틀러와 나치는 인종적 편견에 휩싸였던 것이지 좀 더 높은 정신을 가지기 위해 투쟁했던 것이 아니야.

게다가 당시 독일 국민에게 히틀러와 나치는 마치 교주와 교회당 같은 존재였어.

니체는 우리 모두에게 각자의 힘에의 의지에 충실할 것을 요구했던 것이지,

특정한 이념에 자신의 개성을 빼앗긴 채 순종하라고 말하진 않았어.

오히려 니체는 집단주의에 대항하여 '거리의 파토스'를 가질 것을 요구해.

거리의 파토스란 집단과 대중으로부터 멀리 떨어져 자기만의 개성적인 자아를 만들어 내는 태도를 의미해.

그렇게 위버멘쉬는 인간적인, 너무나 인간적인 것들로부터 멀리 벗어나

직접 삶의 목표를 설정하고 모든 것의 의미와 가치를 스스로 평가하며 창조해 내는 자야.

허나 위버멘쉬의 길이 그렇게 쉽지는 않아.

니체와 차라투스트라도 자기 자신을 위버멘쉬라고 생각하지 않았어.

위버멘쉬는 아직 한 번도
실현된 적이 없단다.

《차라투스트라는 이렇게 말했다》의
후반부엔 '지체 높은 인간들'이 등장해.
지체 높은 인간들

그들은 우매한 집단과 그 집단적
가치를 비판하고 홀로 더 높은 인간의
길을 찾아 나선 자들이지.
여기가
편해~.

민중의 지배에 싫증을 느낀 왕, 신앙을 잃은 교황, 홀로 진리를
찾아 떠도는 방랑자가 바로 그들이야.

차라투스트라는 그들을 위해 만찬까지 열어
주었지만 그들은 결국 인간적인 모습을
극복하지 못했어.

그 명백한 증거는 그들이 벌인
'나귀제' 였지.
펑!
펑!

그들은 나귀를 숭배하는 종교를 만들어 나귀 앞에
무릎을 꿇고 기도문을 외웠어.

차라투스트라는 이
모습에 경악하고 말았지.
큭

신의 죽음을 이해했던 그들이
나귀를 신으로 숭배하고,
예를
갖춰라.
방가~

위버멘쉬로의 여정을 포기한 채
또다시 우매한 인간 집단을 이루고
말았으니 말이야.
나귀교

왜 그들은 위버멘쉬가 되지 못하고
너무나도 인간적인 존재가 되어
버렸을까?
지쳐서
못 하겠어.
나도.

너에게는 너 자신을 잃고 몰락할 용기가 없다. 그래서 너는 결코 새로워지지 못할 것이다. 우리에게 오늘 날개, 색, 옷, 그리고 힘이었던 것이 내일은 단지 재가 되어야만 한다.

내버려야 해!

아깝잖아

진정한 의미의 자기 극복에는
반드시 몰락이 전제되어야 해.
New
우르르르...

오늘의 내가 새로워지려면 어제의
나를 남김없이 버려야 하고,
쿡
챙

내일의 내가 새로워지려면
오늘 새로워진 나 역시 깨끗이
죽여 버려야 해.
촤 앙

자기 자신을 극복하고자 하는 자는
항상 기꺼이 몰락하고자 하는 용기를
가져야 하는 것이지.

차라투스트라의 삶도
사실 몰락의 역사나
마찬가지야.

그는 산을 오르내리며 정신의 기쁨과
슬픔을 오르내렸고 수많은 정신의 변화
단계를 밟았어.
엉엉
하하하

그 과정에서 그는 자신을 보존하지 않고 자기 극복을 위해 수많은
기존의 자기를 버리는 몰락을 기꺼이 단행했어.
쾅

이 책의 마지막 장면에서 차라투스트라는
위버멘쉬로의 궁극적 변화를 예감한단다.
차라투스트라
마지막

그것은 우리가 앞에서 살펴보았던
정신의 변화 단계 중 마지막 단계,
즉 어린아이에 대한 예감이야.

나의 고통과 나의 연민, 그것이 무슨
상관인가! 나는 행복을 열망하고
있는가? 나는 나의 작품을 열망하고
있을 뿐이다.

좋다! 사자는 왔으며 내 아이들도
가까이에 있다. 차라투스트라는
성숙해졌다. 나의 때가 온 것이다.
때가
왔군.
까르르..

1. 각자 스스로 기꺼이 몰락하면서 자기 자신을 극복해 나갈 것
2. 그리하여 끊임없이 변화하는 대지의 삶에 충실할 것
3. 힘에의 의지, 그 자체가 될 것
4. 편협한 이성을 넘어 육체와 정신을 더 높은 단계로 고양하는 신체를 가질 것
5. 절대적 도덕, 즉 선과 악을 넘어서는 가치를 스스로 평가할 것
6. 앞에서 말한 자기 극복의 과정을 천진난만한 아이처럼 놀이하듯 즐길 것
7. 결국 이 모든 차라투스트라의 충고는 '삶에 대한 사랑'임을 명심할 것

제11장 니체와 우리

지금까지 우리는 니체의
《차라투스트라는 이렇게 말했다》를
함께 훑어보았어.
휴
우~

그 과정에서 니체와 니체가 창조해 낸
인물인 차라투스트라를 만났지.

이 만남이 여러분에게 어떤
생각을 불러일으켰는지 니체도
많이 궁금할 거야.
차라투스트라는
이렇게 말했다
-니체
콩닥

책의 첫 페이지에 니체는 책의 부제를
다음과 같이 밝혔어.
모든 사람을 위한
그러면서도
그 누구를 위한
것도 아닌 책

니체의 이 책은 모든 사람을 위한 것이지만 동시에 그 어느
누구도 이 책을 쉽게 받아들일 수 없을 거야.
차라투스트라는
이렇게 말했다
헉
크
그만큼 니체의
생각은 도발적이고
위험하지.

니체는 모든 것을
뒤집고자 했어.
꺅

우리가 세계를 바라보는 방식, 우리가 만들어 온 문화,
모든 가치와 의미들을. 심지어 인간 자체마저도 완전히
바꾸고 싶어 했지.
의미
가치
문화

니체는 망치를 들어 그 모든
것을 파괴한 뒤,
깡

우리에게 말했어.
새로운 가치와 의미를, 새로운 문화를 만들어야 한다.

사람들은 니체의 도발적이고 위험한 생각을
두려워했고 그를 미친 사람이라고 생각했어.
두리번
현상수배
미친 니체
두리번
샤 삭

그래서 니체를 오해한 사람들이
많았단다.
친구.
이거 놔!

니체의 말을 이해할 수 있는
'귀' 들이 없었던 거겠지.

우리가 살고 있는 이 시대도
니체가 살았던 19세기와 별반 차이가
없지 않을까?

니체는 인간의 역사가, 삶을 왜곡하고
실재하지 않는 허상을 만들어
숭배해 온 역사라고 생각했어.

신이 바로 그러한 숭배의
대상이었지.

물론 니체가 살았던 유럽은 근대 과학과
문명이 절정이었던 사회였어.

하지만 교회의 신이 죽었을 뿐,
인간은 '이성' 이라는 새로운 신을
숭배하기 시작했지.
!
신 잠들다

다시 말해 인간은 그 대상을 바꾸었을 뿐 언제나 신을 숭배해 왔다는 말이야. 그리고 신을 숭배한 역사는 인간이 발 딛고 살아가는 대지에서의 삶을 경멸하고 폄하했던 역사와 함께하지.

제 9회 '신' 선발대회

넌 안 돼.

휴~

와 와

그러나 니체는 그 무엇보다 여러분 내면의 욕망을 살피라고 말해.

니체는 다음과 같이 말해. '만약 네가 하고 싶은 모든 것에 있어서 네가 무한히 그것을 하길 원하는지 자문한다면, 그것은 네게 있어 가장 확고한 무게 중심이 될 것이다.'

무한히 반복되길 원할 만큼 바라는 것.

그 욕망이 무엇인지 알고 충족하기 위해 살아가는 삶.

이것이 바로 비참한 영원 회귀를 기쁨과 긍정의 영원 회귀로 바꾸어 놓는 니체의 해결책이란다.

그런데 인간은 자신의 욕망을, 힘에의 의지를 인정하고 싶어 하지 않아.

인정 못 해!

쾅

쾅

그것들을 보지 않으려 하고 없애 버리려고 하지.

우리는 스스로 금욕주의자가 되어 우리의 삶을 학대해.

가장 나쁜 짓이야!

물론 금욕주의자들이 니체에게 반론을 제기할 수도 있을 거야.

모든 인간의 악한 행위는 그러한 욕망으로부터 나오는 것이 아니냐고,

뉴스에 나오는 끔찍한 범행들을 보면 그 범행의 동기에 탐욕이 있지 않느냐고 말이지.

그러니 욕망은 억제하고, 가능하다면 없애 버려야 한다고 금욕주의자들은 말할 거야.

그러나 욕망을 없애는 것이 가능할까?
분명히 떨어졌는데?
짠!

우리의 신체는 먹고 마시며 아름다운 것들에 매혹돼.
저것이 신체이고 신체의 욕망이야.

신체가 곧 욕망인데 욕망을 없애라면 우리는 신체를 내버려야 할 거야.
버려 봐!

욕망을 억제하기 위해 중세 시대에는 신체를 학대하기도 했어.
금식!
금욕!

하지만 그렇게 한다고 우리의 신체가 없어지지는 않아. 따라서 우리의 욕망 또한 없앨 수 없어.
뭐 해?
꼬르륵
따끔

마치 우리가 밟고 선 대지를 없앨 수 없듯이 말이야. 우리 욕망에 대한 학대는 삶을 왜곡시켜. 결국 우리는 삶을 벗어날 수 없으면서 삶을 혐오하는 상황에 처하지.
미워.
쿡
학대
주―욱

생각해 봐. 인간은 대지를 딛고 걸을 수밖에 없는데 대지를 혐오한다면?
그런 삶이 과연 옳을까?
퍽
퍽

니체의 철학은 이렇듯 우리의 삶을 해방시키려는 거대한 기획이라고 볼 수 있어.
니체의 철학
두―둥

생각해 봐. 여러분도 그렇게 가상의 세계를 동경하며 스스로를 학대하고 있진 않은지 말이야.

만약 그렇다면 여러분도 니체가 말하는 '비천하기 짝이 없는 인간'의 하나일 뿐이야.

다시 한번 강조하지만 우리의 삶만이 유일한 진리야.
진리

변화무쌍한 세계 속에서 우리는 끊임없이 무언가를 욕망하며 더 큰 힘을 가지려 하고 더 많은 것의 주인이 되고자 하는 힘에의 의지를 발견하지.
꿈틀
꿈틀

우리의 삶을 벗어난 초월적 진리란 없어.
헉
그런 건 없어!

그러니까 다음과 같은 질문은 무의미해.

삶은 왜 이런 것일까?
세계는 왜 이렇게 되어 있나?
창조자는 있을까?

왜냐하면 삶은 그 자체로 진리이고, 그렇기 때문에 삶의 이유가 따로 있지 않으니까.
내 안에 이유 있다.
이유

최종적 진리, 그게 바로 삶이야.

전통적인 철학자들에게 철학이 진리에 대한 사랑이라면, 니체에게 철학은 삶에 대한 사랑이었을 거야.
진리

여러분도 만약 안일함에 빠지지 않고 깨어 있는 철학적 삶을 살고 싶다면 먼저 삶을 사랑해야 할 거야.

니체는 말한단다.
아모르 파티, 이것이 나의 사랑이 되게 하라.

아모르 파티(amor fati)는 운명애란 뜻이야. 즉 자기 자신의 운명인 삶 그 자체를 사랑하라는 것이지.

왜 우리는 새처럼 날 수 없을까? 왜 인간은 죽을 수밖에 없을까? 왜 삶은 고통스러울까? 왜 세상은 평등하지 않을까? 같은 의문은 무의미해.

무의미해.

니체는 말해. 그저 그것이 우리의 삶이라고. 그 삶에 '왜?'라고 묻는 것은 잘못된 질문이고 그래서 그에 대한 답도 없다고 말이야.

인간들이 그렇게 물으면서 찾았던 답들. 신, 이성, 도덕, 보편적 진리와 같은 것들은 모두 오류일 뿐이라고 말해.

자기 자신을 사랑하고 삶을 긍정하는 사람은 항상 자신을 극복하는 삶을 살지.

어제의 나를 오늘도 그대로 유지하고 싶어 하는 것은 자신에 대한 게으름이야.

여러분은 사랑하는 대상을 게을리 대할 수 있겠니?

또한 자신을 사랑한다면 우리는 끝없이 몰락을 경험해야 해.

위버멘쉬는 스스로 몰락하면서 항상 새롭고 더 위대한 자아를 창조해 내는 자야.

그래서 위버멘쉬는 과감하게 자기 자신을 버리는 몰락의 용기와

더 위대한 자아를 창조해 내는 자기 자신에 대한 사랑을 가진 자란다.

니체가 우리에게 말하고자 하는 바는 삶을 사랑하라는 거야.

그리고 삶을 사랑하기 위해서 위버멘쉬가 되어야 한다는 것,
왜냐하면 위버멘쉬란 대지의 삶에 충실한 이를 의미하니까.
그리고 위버멘쉬가 되기 위해선 스스로 기꺼이 몰락할 수 있는 용기가 필요하다는 것이지.
몰락하지 않으면 새로 태어날 수 없어.
NEW
새로운 목표
성공
몰락

자신의 운명을 사랑한다는 것은 단순히 모든 것을 긍정하라는 말은 아니야.
스윽

자신의 운명이 비참하고 모순된 현실 속에 있는데 무조건 긍정하면서 살아가라는 말은 아니라는 거지.
힘들지?
괜찮아요.
그건 니체의 뜻과 정반대야.

니체가 긍정을 말할 때 우리는 그 긍정의 의미를 두 가지 정도로 나누어 생각해 볼 필요가 있어.
긍정
의미 Ⅰ
의미 Ⅱ

니체가 말하는 긍정이란 사실을 '있는 그대로' 인정하는 행위를 말해.
인정해!
쾅
거짓

삶이 고통스럽고 비참한데 그러한 현실을 회피하고 가상의 세계를 만들어 내어서는 안 돼.
삶이 너무 고통스러워서.
거짓

일단 현실을 직시해야지. 즉 내가 처한 현실을 있는 그대로 보는 것. 그것이 긍정의 첫 번째 의미일 거야.
거짓
의미 Ⅰ

그러고 나서 중요한 것은 그러한 현실을 대할 때의 태도야.
아니 넌!
또 만나는군.
의지

고통스럽고 비참한 현실을 있는 그대로 받아들이면 인간은 허무주의에 빠질 수 있거든.
박더미

니체는 처음엔 쇼펜하우어의 허무주의에 공감했으나
대단해요.
훗.
의지와 표상으로서의 세계

자신의 철학을 세우면서 쇼펜하우어를 극복했어.
나의 철학은 삶을 저주하는 것이 아니라 사랑하는 것이니까!
의지와 표상으로서의
세계
챙

여기서 두 번째의 긍정이 필요해.
ㅍ
디오니소스적 긍정

'디오니소스적 긍정'이란 매순간 다시 태어나는 마법과 같아.
마법의 비밀은 바로 즐거움과 놀이란다.
벌떡
죽음

삶을 사랑하는 방법은 삶의 고통과 비참함을 진지하게 생각하는 것이 아니라
진지~

삶에서 끝없이 놀이의 계기를 만들어 내는 것이야.
고통
고통
고통

즉 세상과 즐겁게 노는 유희의 정신이 필요하지.
비참한 현실을 어떻게 즐기라는 거냐?
고통
고통
고통

놀이가 즐거운 이유는, 놀이는 의무나 필연성으로부터 자유롭기 때문이야.
해야만 한다.
반드시.
의무
필연성

만약 게임으로 시험을 본다고 해 보자.
기말시험 "테트리스"
재미가 없어졌어.

프로 게이머들은 아마추어보다 오히려 게임을 즐기지 못할 거야.
재미로 하는 게
아니야!
타닥
클릭
클릭

게임이 직업이 되어 버렸으니 그들에게 게임은 더 이상 재미있는 놀이가 아니겠지.
승률 0승5패
사장

그러니 삶을 즐거운 놀이로 대하기 위해 우리는 삶을 너무 심각하게 생각하지 말아야 해.
오늘은 수학하고 놀까?
수학
과학

그렇다고 삶을 단순하게
생각하라는 이야기는 아니야.
1+1=2
아니죠~.

결코 이렇게 살라는 건 아니지.
인생
뭐 있어?
젊어서
놀아야지.

중요한 것은 끝없이 나를 새롭게
만드는 거야.

자기 자신을 하나의
정체성으로 규정하고 나면
빌 게이츠 같은
부자~.
부자

우리는 삶을 너무 진지하게 생각하고
고민하기 시작하지.
어디서부터
어떻게
시작하지?

'나는 꼭 1등을 해야 해' 라며
스스로를 1등이라는 정체성으로
묶어 버리면
의무
필연성
1등

여러분은 공부를 즐길 수
없을 거야.
지겨워!

오히려 매순간 욕망을 새롭게 하는 건
어떨까?
어제
수학하고
놀았으니
오늘은
과학하고
놀자.
아~
수학
과학

그렇게 매일 새로운 자신을
창조해 내는 것이 즐거움의
비밀일 거야.
어제는 게임,
오늘은 야구.
놀기만
하냐!!

꼭 1등을 해야 한다는 의무감,
강박 관념이 영원 회귀한다면
삶은 불행해질 거야.
1등

그러나 매순간 새롭게 태어난다면
나의 욕망 역시 다양해지고
그 목표도 다양해지겠지.
욕망
목표
New

그래서 디오니소스적 긍정이란 항상
새로운 자신을 만들어 내는 놀이이자
그러한 놀이를 운명으로 만드는
운명애, 즉 아모르 파티인 거야.
우르르
New

자, 그러면 조금 더 사회적이고 역사적인 맥락에서 우리의 삶을 살펴보기로 할까?
사회
역사
으
음

지금 우리가 살고 있는 시대는 근대를 넘어선 탈근대 시대라고 규정할 수 있어.
탈근대 시대
(혼돈의 시대)

하지만 근대적 문화와 가치가 여전히 우리의 삶에 깊숙이 관여하고 있지.
근대적 문화
가치

일단 여러분 자신의 삶부터 살펴볼까?

여러분은 대부분 학교에 다니지. 학교란 지극히 근대적인 산물이란다.

근대 이전엔 학교란 것이 존재하지 않았어.
먹고살기도 바쁘다고.

학교는 비슷한 또래의 아이들을 모아 놓고 똑같은 것을 가르쳐.

그리고 그것은 사회화란 명목으로 정당화되고 있어.
사회화

즉 국가 사회의 건전한 시민을 만들어 내기 위해서 시민들이 알아야 할 지식을 가르친다는 거야.
국가의 시민.
국가

우리가 학교에서 배우는 것은 단순히 교과 지식만이 아니야.
사용중
WC
꾸욱
공손
공중 도덕
예의 범절

이제 학교 생활이 조금 달리 보이니?

만약 니체라면 근대적 산물인 학교를 어떻게 생각했을까?

학교 교육은 모든 아이들의 개성을 없애고 단순한 하나의 집단으로 만들어.

근대 사회는 모든 인간을 집단으로 묶는 거대한 체제였고, 아직도 건재해.

우리가 니체를 배웠다면 이제 세계를 좀 더 비판적으로 바라보아야 할 거야.

근대 사회가 어떻게 인간의 개성을 말살하고 사회 체계의 부품으로 전락시키는지 잘 살피고

그런 체계에 저항해야 해.

근대 사회가 인간의 개성을 말살하는 또 다른 방법은 대중을 만드는 거야.

가장 대표적인 수단이 대중문화와 대중 매체이지.

근대 사회의 발명품 중에서 가장 훌륭하다고 평가받는 것이 바로 신문이란다.

사실 신문은 그리 오랜 역사를 지닌 매체가 아니야.

신문은 근대 사회의 산업화가 이루어지고 도시와 도시민들이 형성되면서 생겨났단다.

여러분도 혹시 텔레비전에 빠져서 드라마나 대중가요, 쇼 프로그램의 세계 속에서 사는 건 아닌지….

유한도전

근대 사회는 하나의 거대한 공장이나 다름없었고

학교와 직장, 군대 같은 조직들은 관료제를 내세워 인간을 획일화시켜 버렸으며
관료제
관료제

대중 매체 역시 똑같은 생각과 문화를 찍어 냈어.
여론
문화

근대 사회의 자본은 과학적 이성과 함께 또 하나의 신으로 군림했지.

하지만 니체의 주장들은 현대 사회에도 여전히 신선하게 다가와.
갓 짜낸 우유처럼.

니체는 우리에게 그런 신앙을 완전히 버릴 것을 요구해.
신은 죽었다고!

근대가 만들어 낸 새로운 신앙은 합리성, 과학, 절대적 보편성, 규범적 도덕주의, 자본과 자본을 합리화하는 프로테스탄트적 윤리, 사회적 합의, 평등의 가치 등일 거야.
모든 것이 또 다른 신일 뿐이야!
합리성
과학
보편성
도덕주의
윤리
합의
가치

'이상적인 저편의 세계'와 '경멸해야 할 현실'이라는 형이상학적 이분법은 그 모습만 바뀌었을 뿐 지금도 지속되고 있어.
과학
윤리
가치

현대 사회를 살아가는 우리에게 니체는 어떠한 의미를 지닐까?
우리는 '아모르 파티'를 어떻게 이해해야 할까?
아모르 파티

어쩌면 현대 사회의
인간들은 더욱 허무주의에
빠져 있는지도 몰라.
허무주의

자아를 망각하고 관료제의 틀에 갇혀
똑같은 업무를 쳇바퀴 돌듯 수행하고
이미지
관료제

과학이 모든 것을 해결해 주리라는
신앙을 붙든 채 실상은 아무것도
욕망하지 않는 허무주의에 빠져 있는
거지.
과학
나만 믿어!
살았다
와-

이런 상황에서 우리는 더욱 니체와 차라투스트라의 충고를
마음에 새겨야 하지 않을까? 삶을 긍정하는 새로운 문화와
가치를 창조해 내야 하지 않을까?
삶을 긍정하는 새로운 문화와
가치를 창조해 봐!

그리하여 자기애와 개성을 회복하고 무리와
집단으로부터 벗어나 '거리의 파토스'를 지녀야 하지
않을까?
나의 가치 판단은 내 스스로!
벌컥

기쁨의 영원 회귀를, 디오니소스적
긍정의 수레바퀴를 돌려야 하지
않을까?

항상 새롭게 삶을 꾸미고
자기 극복을 하는 위버멘쉬가
되어야 하지 않을까?
NEW

왜냐하면 그것이 대지에 충실한 삶이고, 대지에 충실할 때 인간은 진정으로
행복하고 충만한 삶을 살 수 있으니까 말이야.

차라투스트라는 이렇게 말했다

니체의 철학 마주하기

니체 사상의 역사적 배경

▲ 프리드리히 니체(1844~1900)
19세기 독일의 철학자이며, 음악가이자 시인이다. 당대의 문화, 철학, 그리고 과학에 대해 비판했다.

니체는 근대의 혁명가였습니다. 근대인의 한 사람으로서 근대를 극복하려 했기 때문입니다. 그렇다면 근대를 극복하려 했다는 의미는 무엇일까요? 근대인의 정신, 다시 말해 근대인들이 생각하는 방식과 근대인들이 가진 도덕을 극복하려 했다는 뜻입니다. 우리는 흔히 니체를 '망치를 든 철학자'라고 부릅니다. 니체가 근대인의 정신을 철저히 부수려고 했기 때문입니다.

그렇다면 먼저 근대인들이 어떻게 사고했는지 살펴봅시다. 근대인들의 사고는 데카르트의 이 한마디로 표현할 수 있습니다.

"나는 생각한다. 그러므로 나는 존재한다."

여기서 중요한 것은 '나'와 '생각하다'입니다. 근대인들은 항상 '나'를 앞세웠습니다. 만약 여러분도 항상 '나'를 앞세워 생각하는 버릇이 있다면 그건 데카르트의 영향을 받은 것입니다. 데카르트가 여러분에게 그렇게 생각하는 법을 알려 준 것이지요. 데카르트가 너무 당연한 이야기를 했다고요? 아닙니다. 그렇지 않습니다.

데카르트 이전의 사람들은 '신' 을 중심으로 생각했습니다. '나' 는 '신' 보다 아래에 위치한 존재였죠. '나' 는 물론이고 '세계' 역시 '신' 이 규정하는 것이었습니다. 그래서 '신의 말씀' 이 모든 진리의 기준이었고 모든 행위의 옳고 그름을 결정하는 기준이었습니다. 이러한 시대가 바로 근대 이전의 '중세' 였습니다. 데카르트는 이러한 '신' 중심의 사고를 '나' 중심의 사고로 바꾸었고, 그렇게 새롭게 생각하는 근대인이 탄생했던 것입니다.

▲ 르네 데카르트(1596~1650)
프랑스의 대표적인 철학자로, 근대 이성주의의 철학의 기본을 세웠다.

이렇게 '나' 중심으로 생각하는 것을 어려운 말로 '주체 철학' 이라고 합니다. 우리는 이런 말을 자주 합니다. "삶을 주체적으로 살아야 한다!", "주체적인 인간이 되어야지!" 이 말들의 뜻은 무엇일까요? 그건 세상을 이분법적으로 나누어 생각하라는 이야기입니다. 즉 세계를 '주체' 와 '객체' 로 나누어 보란 것이지요. 그리고 주체적으로 살라는 이야기는 모든 것을 주체 중심으로 바라보라는 말입니다. 쉽게 이야기하면 '나' 를 중심으로 '나의 밖에 있는 세계' 를 판단하고 분석하며 가치를 평가하라는 이야기이지요.

또 하나 생각해야 할 것이 있습니다 '나' 란 주체가 어떤 존재인가 하는 점입니다. 데카르트가 뭐라고 했었죠? 그렇습니다. '나는 생각한다' 라고 했습니다. 근대인이 이해하는 '나' 라는 주체는 항상 '생각하는 나' 였습니다. 즉 자기 자신을 항상 '이성적인 존재' 로 규정했다는 것이지요. 근대인들은 이렇게 이성을 중시하였고 감성이나 느낌과 같은 것들은 중요하게 여기지 않았으며 오히려 절제해야 할 것으로 여겼습니다. 이러한 생각을 어

려운 말로 '합리주의'라고 합니다.

그러면 근대인이란 무엇일까요? 이성을 사용하여 모든 것을 자기중심적으로 생각하는 사람이라고 정리하면 됩니다. 이러한 근대인들은 인간의 삶을 획기적으로 바꾸어 놓았습니다. 근대 과학은 기술과 결합하여 자연을 정복해 나갔습니다. 이제 더 이상 자연은 신성한 어머니의 품이 아니라 주체인 인간이 정복하고 개발해야 할 객체에 지나지 않았던 것이지요.

▲ 와트의 증기 기관
증기 기관의 발명은 영국과 세계의 산업 혁명을 촉진시켰다.

과학의 눈부신 발달과 기술의 만남은 산업 혁명을 일으켰습니다. 생산력이 비약적으로 늘어났고 자본주의가 탄생했지요. 뿐만 아니라 정치적으로는 공화 정치가 발달하게 되었습니다. 공화 정치란 국민이 뽑은 대표자 또는 대표 기관이 주권을 행사하는 정치입니다. 이러한 시민 혁명을 이끈 사상이 바로 계몽주의였습니다. 계몽주의는 권위에 굴복하지 말고 개인의 이성을 최대한으로 사용하여 판단하고 행동해야 한다고 주장한 근대적 사상이었습니다.

니체가 살았던 19세기의 유럽은 바로 이러한 근대인들의 성취가 최고조에 달하면서 자본주의가 극도로 발전했던 시기입니다. 새로운 사회 속에서 살게 된 사람들에게는 그에 걸맞은 철학이 필요했습니다. 그래서 등장한 것이 바로 공리주의였습니다. 공리주의는 개인의 행복을 극대화하는 것을 목적으로 하는 철학이었습니다.

제러미 벤담이나 존 스튜어트 밀과 같은 철학자들이 공리주의를 통해 개인의 행복과 쾌락을 절대화하고자 했고, 이를 위해 개인의 자유는 침범해서는 안 되는 절대적 가치라고 주장했습니다.

▲ 제러미 벤담(1748~1832)
영국의 법학자 · 철학자인 벤담은 '최대 다수의 최대 행복을 목적'으로 하는 공리주의를 표방했다.

▲ 존 스튜어트 밀(1806~1873)
영국의 철학자이자 경제학자로, 시민의 자유를 논한 《자유론》을 썼다.

그러나 니체는 공리주의자들을 '최후의 인간' 이라고 불렀습니다. 개인의 안락함에서 행복을 찾는 인간들은 자본주의가 만들어 낸 상품들을 소비하면서 삶을 안전하게만 살려고 했기 때문입니다. 물질적인 안락함뿐만이 아니었습니다. 사람들은 정치적으로 모두가 평등하다는 민주주의를 만들어 내어 그 속에서 모두가 평등하다는 환상에 머물러 있었습니다. 이제 인간은 더 이상 자기 자신을 극복하여 새로운 것을 창조하려 하지 않고 스스로 자기 안의 '의지' 를 없애 버렸지요. 사람들은 '의지' 가 아니라 '이성' 을, '모험' 이 아니라 '안전' 을 추구하게 되었습니다. 니체는 이렇게 생각하고 살아가는 사람들 사이에서 태어나 살아가다가 죽었습니다. 니체는 이러한 근대인들의 사고와 문명을 '병' 으로 진단했습니다. 삶의 활력을 스스로 죽이면서 '안전' 이라는 저급한 쾌락에 몰두하는 병자들이 살아가는 시대, 이것이 바로 니체가 파악한 19세기의 유럽이었습니다.

니체는 19세기 유럽의 병듦이 서구 문명 전체의 역사를 통해서 서서히 진행되어 온 것으로 진단했습니다. 그리고 자신의 철학을 서구 문명을 비판하기 위한 도구(기존의 것을 부숴 버리는 망치)로 삼았습니다. 니체

▲ 파르테논 신전
고대 그리스의 문화를 대표하는 상징이다.

는 서구의 사상을 역사적으로 검토하면서 서구 문명이 그리스 문화와 기독교 문화의 절묘한 결합으로 이루어져 있음을 발견합니다. 그러나 처음부터 서구의 문명이 병들어 있었던 것은 아닙니다. 니체는 그리스의 비극 작품에서 위대한 영웅들의 살아 움직이는 힘과 자기 자신을 극복해 나가는 초인적인 힘을 확인할 수 있었습니다. 그렇다면 문제는 어디에서 시작되었을까요? 니체는 병의 원인을 기독교 문화와 그리스 문화의 플라톤주의에서 발견합니다.

기독교와 플라톤주의는 무엇보다도 '삶'을 부정하고 '삶의 욕망'을 죄악시하였습니다. 왜냐하면 삶이란 불안정하고 불확실한 것들로 가득차 있었기 때문입니다. 기독교와 플라톤주의는 사람들에게 그러한 불확실한 삶에 눈감아 버리라고 말했습니다. 그리고 '천국'과 '이데아'의 세계를 찬미하라고 가르쳤습니다.

데카르트의 철학에서 시작된 근대 정신은 천국과 이데아의 세계를 찬미하라고 가르치지는 않았습니다. 오히려 인간의 '이성'을 최대한 사용하며 살아갈 것을 요구했지요. 그러나 니체가 보기에 그러한 근대적 이성은 기독교와 플라톤주의가 세속화한 것에 지나지 않았습니다. 이성은 천국과 이데아의 명령과 마찬가지로 '의지'와 '육체'를 옥죄었고 부정했으니까요. 니체가 보기에 서구 유럽의 문명은 바로 이러한 삶에 대한 부정으로 병들어 왔고, 니체가 살았던 19세기에 와서는 최악의 상태에 이르렀던 것이지요.

삶을 부정한 결말은 '허무주의' 입니다. 사람들은 '허무주의' 에 빠져 더 이상 새로운 '나' 와 '세계' 를 창조하려 하지 않았습니다. 그저 자본주의가 가져다주는 향락과 평등주의가 가져다주는 안락함에 묻혀 살아갔습니다. 그런 동시대인들에게 니체는 '힘에의 의지' 를 가르칩니다. 그리고 '위버멘쉬' 가 될 것을 가르칩니다. 그러기 위해서 심지어 진리의 확실성마저도 부정합니다. 그러한 가르침이 농축된 책이 바로 《차라투스트라는 이렇게 말했다》입니다.

니체는 1900년에 죽었습니다. 20세기의 시작과 함께 죽은 니체는 20세기의 수많은 철학자, 예술가들에게 영향을 주었습니다. 무엇보다 근대인으로서 근대의 한계를 지적하며 현대적 가치를 설파한 니체의 사상은 20세기의 사고에 지적 · 문화적 토양을 제공했습니다. 20세기의 현대 사상가들 대부분이 니체의 자식들이라 해도 무방할 것입니다.

▲ 마르틴 하이데거(1889~1976)
독일의 철학자로, 1961년 《니체》를 출간해 니체에 대한 새로운 해석으로 주목받았다.

니체의 사상에 영향을 준 사람들

▲ 바뤼흐 스피노자

스피노자(1632~1677)

스피노자는 네덜란드의 철학자입니다. 노발리스란 시인은 스피노자에 대하여 '신에 취한 사람' 이라고 일컬었습니다. 스피노자는 그만큼 신이란 개념을 파고들었던 철학자입니다. 또한 그의 대표 저서인 《에티카》는 기하학적인 구성과 형식으로 유명합니다. 이러한 점은 니체와 사뭇 달라 보입니다. 니체는 "신은 죽었다!" 라고 말했고, 그의 문체는 비유와 상징과 같은 문학적 표현들을 많이 사용했기 때문이지요. 그러나 니체는 스피노자를 자신의 선구자라고 칭할 만큼 그에게서 많은 영향을 받았습니다.

스피노자는 니체보다 앞서 '운명에 대한 사랑' 을 찬미했습니다. 스피노자 역시 자기 연민을 거부하고 운명을 적극적으로 받아들일 것을 이야기했지요. 또한 스피노자도 니체와 마찬가지로 죄나 도덕적 심판 같은 것을 부정했습니다. 스피노자는 신이 세계를 선한 목적으로 창조하지 않았다고 주장했습니다. 그렇게 스피노자는 세계에 존재하는 선과 악이란 인간이 만들어 낸 허구에 불과함을 밝혀냈습니다. 이러한 스피노자의 철학은 죄와 양심의 가책 등과 같은 개념이 실상은 인간의 나약함에서 비롯했다는 니체의 비판을 자연스럽게 뒷받침해 주었습니다.

괴테(1749~1832)

▲ 요한 볼프강 폰 괴테

니체는 괴테에 대하여 다음과 같이 말했습니다. "괴테는 내가 존경심을 느끼는 최후의 독일인이다." 괴테는 독일 문학의 대표적인 인물로 니체가 태어나기 12년 전에 죽었습니다. 그는 정부 각료 생활을 하기도 했고, 여행을 많이 다녔으며, 수많은 글과 소설을 집필한 독일 최고의 작가입니다. 니체는 독일어의 수준 높은 표현에 있어서 자신의 유일한 경쟁자로 괴테를 꼽았습니다. 이렇게 괴테는 니체가 콤플렉스를 느낄 만큼 뛰어난 문학가였습니다.

뿐만 아니라 괴테의 다양한 인생 이력과 여러 장르를 넘나드는 글쓰기 방식은 니체의 관점주의를 비롯해 삶을 긍정해야 한다는 생각에도 큰 영향을 주었습니다.

니체는 '한층 높은 인간들'의 전형으로 괴테를 꼽았고, 독일인 중에 위버멘쉬가 있다면 아마 그 사람은 바로 괴테일 것이라고 생각했습니다. 니체는 괴테에게서 삶의 태도와 문학적 표현 등 많은 영향을 받았으며 그 영향은 꾸준히 지속되었습니다. 아마도 천재적인 독설가인 니체가 가장 온건한 태도를 유지했던 인물이 괴테였을 것입니다.

▲ 리하르트 바그너

바그너(1813~1883)

바그너는 니체에게 가장 위대한 영웅이었고 동시에 니체가 가장 격렬하게 공격했던 인물이었습니다. 바그너는 너무나도 유명한 오페라 작곡가로, 니체는 바그너의 음악에 흠뻑 빠졌었습니다. 바그너가 신화나 역사적 소재들을 가공하여 만들었던 오페라에서 깊은 감동을 받았지요. 니체는 바그너를 고통의 밑바닥에서 가장 큰 행복을 이끌어 내는 음악가라고 칭송했습니다.

한때 니체는 열렬한 바그너주의자였고 그를 찬미하는 글을 많이 썼습니다. 그러나 니체와 바그너는 점점 멀어졌습니다. 바그너는 니체를 자신의 음악적 이상을 홍보할 쓸 만한 젊은 학자 정도로만 여겼고 니체는 그러한 바그너의 대우가 마음에 들지 않았습니다. 바그너의 야심작이었던 바이로이트 축제에서 니체는 바그너와 완전히 등을 돌립니다. 애초에 바그너는 바이로이트 축제를 통해 민중이 음악극에 적극적으로 참여하여 삶을 더 높은 단계로 인식하기를 바란다고 역설했습니다. 고대 그리스 비극이 그랬듯이 말이지요. 하지만 바그너의 본래 의도와는 달리 축제는 상류층만이 얌전히 관람하는 공연에 그치고 말았고, 니체는 이에 크게 실망하였습니다. 개인적인 관계에서 삐그덕거리던 두 사람은 나중에는 글을 통해서 상대를 비방하는 사이가 되고 맙니다. 결국 니체는 바그너에 대한 환상에서 완전히 벗어났지만 바그너가 자신에게 미친 영향과 자신이 바그너에 대해 가졌던 열정을 완전히 부정하지는 않았습니다.

쇼펜하우어(1788~1860)

니체는 대학 시절 쇼펜하우어의 책을 우연히 읽고 큰 영향을 받았습니다. 무엇보다도 니체는 쇼펜하우어의 '의지' 개념에 큰 빚을 지고 있습니다. 니체가 만든 '힘에의 의지'는 바로 쇼펜하우어의 '의지' 개념을 변형하여 사용한 것입니다.

▲ 아르투어 쇼펜하우어

쇼펜하우어는 세계를 역동적이고 통제할 수 없는 힘이라고 생각했습니다. 이 힘, 즉 '의지'는 세계에 자신을 드러내려고 하는데, 바로 이러한 의지들의 투쟁이 세계를 움직인다고 여겼지요. 그는 인간들 사이의 전쟁이나 동물들의 먹이 사슬에서도 이러한 의지들의 투쟁을 발견할 수 있다고 말합니다. 그러므로 쇼펜하우어는 세계 속의 존재들은 고통을 겪을 수밖에 없다고 주장합니다. 왜냐하면 의지는 끊임없이 작동하기 때문에 인간은 계속된 긴장 상태에 처할 수밖에 없고, 어떠한 의지가 성취되었다 하더라도 또 다른 욕망이 생겨나 또다시 결핍된 상태에 빠질 수밖에 없기 때문입니다. 쇼펜하우어는 이를 해결할 수 있는 유일한 방법이 '체념' 뿐이라고 주장했습니다. 그리고 이렇게 '체념' 할 줄 아는 인간이 바로 우리가 존경하는 '성인' 들이라고 설명했지요.

그러나 쇼펜하우어는 성인과는 거리가 멀었습니다. 그는 열정적이었으나 간혹 과도한 독설로 상대방을 무참히 짓밟는 호전적인 사람이었습니다. 니체의 글에서 가끔 엿보이는 맹렬한 인신공격의 기술은 바로 쇼펜하우어에게서 배운 것입니다. 무엇보다 니체는 쇼펜하우어의 무신론을 좋아했습니다. 쇼펜하우어는 세계를 다스리는 것은 인자한 신이 아니라 맹목적인 충동이라고 주장했으며, 니체는 쇼펜하우어의 이러한 세계관을 받아들였습니다.

니체와 나치즘

▲ 니체의 여동생인 엘리자베트

니체에 대한 수많은 편견들은 그의 여동생인 엘리자베트 니체가 만들어 낸 것이나 다름없습니다. 엘리자베트는 니체가 지독히 혐오했던 바그너의 바이로이트 축제에서 큰 감동을 받아 바그너의 반유대주의에 깊이 공감하게 됩니다. 엘리자베트는 그곳에서 광적인 반유대주의자 푀르스터를 만나 사랑에 빠지죠. 결국 엘리자베트는 푀르스터와 결혼을 했고 니체를 반유대주의 운동에 끌어들이려고 했습니다.

바그너는 한때 유대인의 입국을 금지하는 순수한 독일인들만의 나라를 남미에 건설하려는 생각을 했었습니다. 푀르스터는 이 일을 열렬히 추진했고, 엘리자베트와 함께 파라과이로 가서 '새로운 독일' 을 건설하기도 했습니다. 그 '새로운 독일' 은 지금도 있답니다. 약 200명의 독일인들이 그곳에서 19세기 독일의 언어와 문화, 관습을 유지하며 살고 있지요. 그러나 푀르스터는 점차 빚에 시달리다가 니체가 정신병에 걸린 바로 그해에 자살을 하고 맙니다.

엘리자베트는 그 뒤로 니체를 유명하게 만드는 일에 몰두합니다. 니체가 정신병에 걸리자 엘리자베트는 니체의 보호자 자격으로 그의 작품에 대한 저작권자가 됩니다. 이때부터 니체의 작품을 조작하여 그의 작품에 인종주의적 견해를 덧붙여 나갔습니다.

그녀는 니체 박물관을 만들어 살아 있는 니체를 마치 전시물처럼 작품 보관소의 한 칸에서 먹고 자게 했습니다. 그녀는 니체를 통해 부와 명예를 쌓았습니다.

사실 니체는 독일이 민족주의자들의 국가로 변해 가는 것을 매우 비판적으로 생각했습니다. 그러나 모순적이게도 엘리자베트에 의해 독일 민족주의자들의 칭송을 받게 되었던 것입니다. 심지어 엘리자베트는 니체가 제국주의자였으며 만약 살아 있다면 독일의 침략 전쟁을 옹호했을 것이라고 주장하기도 했습니다. 엘리자베트는 제1차 세계 대전에 참전한 독일 병사들에게 《차라투스트라는 이렇게 말했다》를 보내기까지 했습니다.

엘리자베트는 니체의 철학을 제국주의의 독재자들에게 선전하는 데에도 열중했습니다. 그녀는 이탈리아의 파시스트 무솔리니와 편지를 주고받으며 니체를 알렸고, 무솔리니를 새로운 시저라 찬양하기도 했습니다. 또한 바이로이트 축제에서 히틀러를 만나 니체의 철학을 알리기도 했지요. 그 결과 히틀러는 니체의 작품 보관소를 후원하게 됩니다. 그 후 나치는 니체의 철학을 나치즘을 뒷받침하는 이론으로 삼았습니다.

▲ 히틀러와 나치즘
히틀러에 대한 엘리자베트의 지지 때문에 니체는 수많은 오해를 받아 왔다.

결국 니체의 철학이 나치즘의 공식 철학처럼 알려지게 된 것은 니체의 철학이 파시즘을 옹호했기 때문이 아니라 니체의 여동생 엘리자베트의 명예욕과 권력욕 때문이었습니다. 하나밖에 없는 여동생이 끼친 악영향 때문에 니체의 사상은 오랫동안 불명예를 안아야 했습니다.

조로아스터교

▲ 야즈드 조로아스터 사원
이란 중부에 위치한 도시 야즈드의 조로아스터교 사원으로, 불의 신전에는 천 년 이상 타오르는 불이 있다.

불을 숭배하여 배화교라고도 불리는 조로아스터교는 기원전 1800년 무렵 중동의 박트리아 지방에서 발생한 종교입니다. 조로아스터교의 창시자가 바로 차라투스트라입니다. 조로아스터교는 기원전 600년쯤에는 오늘날의 이란 영토 전역에 퍼졌으며, 기원전 5세기에 들어서는 이미 그리스 지방에까지 전해졌던 것으로 보입니다.

▲ 조로아스터 초상
조로아스터교 성지인 야즈드 도심에 위치한 아테시카데 사원 내부에 걸려 있다.

조로아스터교는 창조신 아후라 마즈다(Ahura Masda)를 중심으로 선과 악이라는 이분법적 세계관을 가지고 있는 것이 특징입니다. 이러한 이원론적 교리는 기독교, 유대교, 이슬람교에 영향을 주었지요. 니체가 그토록 비판했던 기독교가 조로아스터교의 영향을 받았다는 사실이 흥미롭습니다.

차라투스트라의 교리에 따르면 선과 악은 아후라 마즈다의 쌍둥이 아들이 서로 경쟁하면서 발생하였습니다. 쌍둥이 아들 중 스펜타 마이뉴(자애로운 영)는 선을 선택하여 진리 · 정의 · 생명의 속성을 얻고 또 하나의 아들인 앙그라 마이뉴(파괴의 영)는 악을 선택하여 파괴 · 불의 · 죽음의 힘을 얻게 되었다는 것이지요.

차라투스트라에 따르면, 세계는 결국 대화재로 없어지고, 선의 추종자들만이 새 창조에 동참하기 위해 부활한다고 합니다. 새 창조가 일어날 때까지 죽은 자의 영혼은 친바트라는 다리를 건너는데, 선한 자는 천국으로 사악한 자는 지옥으로 가기 위해 기다려야 합니다.

▲ 친바트 다리

기원후 226년, 민족 주체성을 확립한 새로운 페르시아 왕조인 사산 왕조가 출현하여 조로아스터교를 국교로 삼았습니다. 이 왕조의 지배 계급은 상당한 권력을 소유했고, 다른 종교들(기독교 · 마니교 · 불교)을 박해했지요. 또한 중동에서 이슬람교가 확산되면서 많은 사람들이 이슬람교로 개종하라는 설득과 강요를 받았지만, 조로아스터교는 어느 정도 관용의 대상이 되어 약 3세기 동안 그 핵심을 지켜 낼 수 있었습니다. 8~10세기에 종교 박해가 일어나고 이슬람교로 개종할 것을 강요받자, 남아 있던 조로아스터교도들은 이란을 떠나 인도로 가서 대부분 뭄바이 지역에 정착했습니다.

19세기에 이르러 파르시라고 불리게 된 인도의 조로아스터교도들은 부 · 교육 · 자선으로 유명해지기도 했습니다. 이들은 이란에 남아 있던 조로아스터교도들과 교류를 나누었지요. 이 두 집단과 다른 나라로 이주한 사람들만이 오늘날까지 조로아스터교를 신봉하고 있습니다. 한 가지 재미있는 사실은 영국의 유명한 록밴드 퀸의 보컬리스트인 프레디 머큐리가 바로 조로아스터교를 믿었다는 사실입니다. 프레디 머큐리는 영국인이었지만 혈통적으로 이란의 파르시에 속해 있었고 모태 신앙으로 조로아스터교를 믿었다고 합니다.

《차라투스트라는 이렇게 말했다》의 원목차

제1부

제2부

제3부

- 방랑자
- 환영과 수수께끼에 대하여
- 원치 않는 행복에 대하여
- 해 뜨기 전에
- 왜소하게 만드는 덕에 대하여
- 감람산에서
- 스쳐 지나가기에 대하여
- 배신자에 대하여
- 귀향
- 세 가지 악에 대하여
- 중력의 영에 대하여
- 낡은 서판과 새로운 서판에 대하여
- 건강을 되찾고 있는 자
- 위대한 동경에 대하여
- 춤에 부친 또 다른 노래
- 일곱 개의 봉인

제4부

- 제물로 바친 꿀
- 도움을 청하는 외침
- 왕들과의 대화
- 거머리
- 마술사
- 실직
- 더없이 추악한 자
- 제 발로 거지가 된 자
- 그림자
- 정오에
- 환영 인사
- 만찬
- 보다 높은 인간에 대하여
- 우수의 노래
- 과학에 대하여
- 사막의 딸들 틈에서
- 각성
- 나귀의 축제
- 취한 자의 노래
- 조짐

Also
sprach Zarathustra.

Ein Buch
für
Alle und Keinen.
Von
Friedrich Nietzsche.

Chemnitz 1883.
Verlag von Ernst Schmeitzner.

Paris — St. Petersburg — Turin

New-York — London

▲《차라투스트라는 이렇게 말했다》 1부의 초판 표지

《차라투스트라는 이렇게 말했다》의 명언들

▲ 위버멘쉬를 표현한 그림

보라, 나는 너희에게 위버멘쉬를 가르치노라! 위버멘쉬가 이 대지의 뜻이다. 너희의 의지로 하여금 말하도록 하라. 위버멘쉬가 대지의 뜻이 되어야 한다고! 형제들이여, 맹세코 이 대지에 충실하라. 하늘나라에 대한 희망을 설교하는 자들을 믿지 말라! 그런 자들은 스스로가 알고 있든 모르고 있든 독을 타 사람들에게 화를 입히는 자들이다. 그런 자들은 생명을 경멸하는 자들이요, 소멸해 가고 있는 자들이며 이미 독에 중독된 자들인 바 이 대지는 그런 자들에 지쳐 있다.

1부 〈차라투스트라의 머리말〉

형제들이여, 차라리 강건한 신체에서 울려오는 음성에 귀를 귀울이도록 하라. 보다 정직하며 보다 순결한 음성은 그것이다. 건강한 신체, 완전하며 반듯한 신체는 더욱더 정직하며 순수하다. 이 대지의 뜻을 전해 주는 것도 바로 그런 신체다.

1부 〈저편의 또 다른 세계를 신봉하고 있는 사람들에 대하여〉

저편의 또 다른 세계를 꾸며 낸 것은 고통과 무능력, 그리고 더없이 극심하게 고통스러워하는 자만이 경험하는 그 덧없는 행복의 망상이었다.

1부 〈저편의 또 다른 세계를 신봉하고 있는 사람들에 대하여〉

너희가 세계라고 불러 온 것, 그것도 너희에 의해 먼저 창조되어야 한다. 이 세계가 너희의 이성, 너희의 이미지, 너희의 의지, 너희의 사랑 안에서 형성되어야 한다는 말이다! 진정 너희가 지복을 누리도록. 사물의 이치를 터득하고 있다는 자들이여!

2부 〈행복한 섬에서〉

언젠가 악마가 내게 이렇게 말한 일이 있다. "신 또한 자신의 지옥을 갖고 있다. 사람에 대한 사랑이 바로 그의 지옥이다."라고. 그리고 최근에 나는 그가 이런 말 하는 것을 들었다. "신은 죽었다. 사람들에 대한 연민의 정 때문에 신은 죽고 만 것이다." 그러니 연민의 정이라는 것을 경계하라. 위대한 사랑은 하나같이 연민의 정 이상의 것이다.

2부 〈연민의 정이 깊은 자에 대하여〉

생명체를 발견할 때마다 나는 힘에의 의지도 함께 발견했다. 심지어 누군가를 모시고 있는 자의 의지에서조차 나는 주인이 되고자 하는 의지를 발견할 수 있었다.

2부 〈자기 극복에 대하여〉

"모든 사물 위에 우연이라는 하늘, 천진난만이라는 하늘, 뜻밖이라는 하늘, 자유분방이라는 하늘이 펼쳐져 있다." 내가 이렇게 가르친다면 그것은 축복일 망정 모독은 아니다. "뜻밖에." 이것이야말로 세상에서 더할 나위 없이 유서 깊은 귀족이다. 그것을 나 모든 사물들에게 되돌려 주었다. 그리하여 나 모든 사물을 목적이라는 것의 예속 상태에서 구제해 준 것이다."

3부 〈해 뜨기 전에〉

이 세계에서 가장 저주받아 온 세 가지, 그것은 어떤 것들인가? 나 이제 그것들을 저울에 달아 볼 참이다. 감각적 쾌락, 지배욕, 이기심. 이들 셋이 지금까지 가장 혹독하게 저주받아 왔을 뿐만 아니라 가장 고약하게 비방받고 왜곡되어 왔던 것들이다. 나 이 셋을 인간적인 관점에서 제대로 저울질해 볼 참이다.

3부 〈세 가지 악에 대하여〉

선과 악이라고 불리는 진부한 망상이 있다. 지금까지 예언가와 점성술사의 둘레를 맴돈 것도 이 망상의 바퀴였다. 오, 형제들이여, 지금까지 별과 미래에 대한 것은 망상이었을 뿐 실제 알려진 것은 아무것도 없다. 마찬가지로 선과 악에 대한 것도 지금까지 망상일 뿐 실제 알려진 것은 아무것도 없다.

3부 〈낡은 서판과 새로운 서판에 대하여〉

모든 것은 가며, 모든 것은 되돌아온다. 존재의 바퀴는 영원히 돌고 돈다. 모든 것은 시들어 가며, 모든 것은 다시 피어난다. 존재의 해는 영원히 흐른다. 모든 것은 부러지며, 모든 것은 다시 이어진다. 똑같은 존재의 집이 영원히 지어진다. 모든 것은 헤어지며, 모든 것은 다시 만나 인사를 나눈다. 존재의 바퀴는 이렇듯 영원히 자신에게 신실하다. 매순간 존재는 시작된다. 모든 여기를 중심으로 저기라는 공이 굴러간다. 중심은 어디에나 있다.

3부 〈건강을 되찾고 있는 자〉

이 책과 함께 읽어 봐요

《비극의 탄생 · 반시대적 고찰》 니체, 이진우 역, 책세상, 2005

27세 때 쓴 처녀작으로 니체를 문헌학자에서 철학자로 자리매김하게 한 책입니다. 이 책에서 니체는 디오니소스적인 것과 아폴론적인 것의 화해로 비극이 탄생하게 되었으나 아폴론적인 것이 승리하며 비극은 최후를 맞이하였다고 설명합니다. 그리고 니체는 이 책에서 바그너는 비극을 부활시킨 위대한 음악가라며 칭송하고 있습니다. 아직 바그너의 영향 아래에 있는 니체의 사상을 읽을 수 있는 책입니다.

《바그너의 경우 · 우상의 황혼 · 안티크리스트 · 이 사람을 보라 · 디오니소스 송가 · 니체 대 바그너》 니체, 백승영 역, 책세상, 2002

니체의 다양한 저서들을 모아 놓은 책으로 니체 사상의 다양한 면모를 볼 수 있는 책입니다. 특히 《안티크리스트》는 니체의 기독교에 대한 생각을 잘 읽을 수 있는 책이며 《이 사람을 보라》는 니체의 삶을 이해하는 데 가장 중요한 필독서이기도 합니다.

《선악의 저편 · 도덕의 계보》 니체, 김정현 역, 책세상, 2002

니체가 기존의 '선 · 악' 개념과 도덕 개념을 맹렬히 비판하면서 선악과 도덕이란 하나의 편견에 불과할 뿐이라는 도발적인 주장을 담은 책입니다. 니체는 이 책들에서 선악과 도덕 개념의 뒤에 자리잡은 전통 형이상학에 대한 비판과 함께 새로운 도덕과 철학을 제시하고 있습니다.

《니체, 디오니소스적 긍정의 철학》 백승영, 책세상, 2005

독일에서 니체를 전공한 백승영 선생님의 책입니다. 니체의 철학을 꼼꼼하고 체계적으로 설명한 책으로 니체를 깊이 이해하는 데 도움이 될 것입니다.

《니체의 위험한 책, 차라투스트라는 이렇게 말했다》 고병권, 그린비, 2003

니체를 정말 사랑하는 고병권 선생님의 책입니다. 《차라투스트라는 이렇게 말했다》를 저자의 시각에서 해체하고 재구성했습니다. 재미있는 비유와 유쾌한 필체가 읽는 재미를 더합니다.

《니체가 눈물을 흘릴 때》 어빈 얄롬, 임옥희 역, 리더스북, 2006

니체가 정신분석학자 브로이어와 환자와 의사로 만나 대화를 나눈다면? 이런 가정을 바탕으로 쓴 소설입니다. 하지만 두 사람의 대화 속에서 니체의 사상들이 잘 드러나 니체 사상의 입문서로서도 손색이 없습니다.

《니체, 영원회귀와 차이의 철학》 진은영, 그린비, 2007

니체를 프랑스 현대 철학자인 들뢰즈, 고대 불교 철학자인 용수의 철학과 더불어 해석하고 있습니다. 니체의 사상이 갖는 폭넓은 해석의 지평을 만끽하게 해 주는 책입니다.

《HOW TO READ 니체》 키스 안셀 피어슨, 서정은 역, 웅진지식하우스, 2007

《How to read 니체》는 《비극의 탄생》에서부터 《이 사람을 보라》에 이르기까지 니체의 사상을 간략하게 읽어 볼 수 있는 책입니다. 각 시기별로 니체 사상의 흐름을 파악하여 정리하는 데 훌륭한 안내서가 될 것입니다.

《니체》 로런스 게인, 윤길순 역, 김영사, 2005

그림으로 쉽게 풀어 낸 니체에 대한 책입니다. 분량도 짧아서 금방 읽을 수 있고 니체의 어려운 사상을 재미있는 삽화로 볼 수 있어 니체를 이해하는 데 큰 도움이 됩니다.

니체 차라투스트라는 이렇게 말했다

김면수 글 | 정상혁 그림

01 니체가 한때 추종했던 음악가는 누구일까요?

① 베토벤 ② 바그너 ③ 브람스
④ 베를리오즈 ⑤ 모차르트

02 '차라투스트라'라는 이름의 유래는 무엇일까요?

① 게르만 신화의 영웅 '지크프리드'
② 그리스 신화에 등장하는 최고의 신 '제우스'
③ 그리스 아테네의 영웅 '테세우스'
④ 고대 이집트의 절대 왕 '투탄카멘'
⑤ 고대 페르시아의 예언자 '조로아스터'

03 집단과 대중으로부터 멀리 떨어져 자기만의 개성적인 자아를 만들어 내는 태도를 무엇이라고 할까요?

① 거리의 파토스 ② 외로운 투쟁 ③ 아모르파티
④ 나르시시즘 ⑤ 노블리스 오블리주

04 다음 설명 중 빈 칸에 들어갈 말은 무엇일까요?

니체는 인간이 '힘에의 의지'의 본성을 배척하고 '절제', '관용', '연민', '용서'와 같은 ○○의 도덕을 받아들임으로써 문명의 타락을 초래하고 말았다고 주장했다.

① 귀족 ② 노예 ③ 이성
④ 감성 ⑤ 철학

05 니체는 '삶이란 덧없고 의미 없는 순간들의 영원한 반복'이라는 '영원회귀'의 사유를 중시했는데, 그 이유는 무엇일까요?

① 삶은 허무하다는 인생의 참된 의미를 파악할 수 있으므로

② 지금 현재가 중요한 것이 아니라 앞으로의 미래가 더 중요하므로

③ 있는 그대로의 삶의 모습을 긍정하기 위해서 거쳐야 하는 단계이므로

④ 영원히 반복되는 순간들 같지만 그 안에서 안정과 휴식을 찾아야 하므로

⑤ 덧없는 세속적인 삶을 벗어나 영원히 변하지 않는 고귀한 삶을 추구해야 하므로

06 니체는 '신체'에 대해서 어떻게 생각할까요?

① 이성에 복종하기 위해 다스려야 하는 감성의 뭉치

② 영혼이 들어가 명령하고 움직여야 하는 살덩어리

③ 시간의 흐름에 상관없이 고정되어 있는 실체로서의 단일한 자아

④ 이성과 의지를 포함한 통일체로서 무수한 힘들이 충돌하는 싸움터

⑤ 신이 자신의 형상을 본떠 인간에게 부여한 신성한 몸

07 니체가 제시하는 인간상으로 끊임없이 자기를 극복해 가는 존재를 무엇이라고 하나요?

---

08 차라투스트라가 처음으로 산에서 내려와 인간들에게 전한 '기쁜 소식'은 무엇이었을까요?

---

09 다음의 빈 칸에 공통으로 들어갈 말은 무엇일까요?

니체는 자유를 이루고자 한다면 주인의 명령에 항상 복종하는 낙타의 정신에서 모든 권위에 '아니오'라고 말하는 용기를 지닌 사자의 정신으로 옮겨 가는 변신을 겪어야 한다고 말한다. 그러나 사자의 정신만으론 아직 완전한 자유를 성취할 수 없다. 사자는 너무 심각하기 때문에 자유롭기엔 너무나 무겁다. 그래서 사자는 다시 ○○○○가 되어야 한다. 니체는 ○○○○에 대해 다음과 같이 말한다. '○○○○는 천진난만이요, 망각이며, 새로운 시작,놀이, 스스로의 힘으로 굴러가는 수레바퀴이고, 최초의 운동이자 신성한 긍정이다.'

---

10 니체가 플라톤의 이데아철학과 기독교의 세계관이 지니고 있는 '이분법적 세계관'을 강하게 비판한 이유는 무엇일까요?

정답

01 ② / 02 ⑤ / 03 ① / 04 ② / 05 ③ / 06 ④ / 07 위버멘쉬 / 08 신의 죽음 / 09 어린아이

10 '이분법적 세계관'은 세계를 '천국', '이데아'와 같은 실재하지 않는 세계를 만들어 내어 그 가상의 세계에 모든 가치와 의미를 부여하고 동시에 실제로 우리가 살아가는 '대지의 삶'을 죄로 물들여진 저열한 것으로 폄하하기 때문입니다. 즉 '이분법적 세계관'은 인간의 건강한 대지에서의 삶을 병들게 합니다.